Sur Baudelaire
Flaubert et Morand

© Editions Complexe, 1987
ISBN 2-87027-198-0
Dépôt Légal D/1638/1987/3

Marcel Proust

Sur Baudelaire
Flaubert et Morand

Edition établie
par Antoine Compagnon

Le Regard Littéraire

Editions Complexe

Préface

Entre le pastiche et le roman

par
Antoine Compagnon

Plusieurs écoles de critique contemporaine, la critique thématique et la stylistique en particulier, se sont réclamées de Proust, dont la réputation de critique n'est fondée, pourtant, que sur un très petit nombre de textes. Le *Contre Sainte-Beuve* n'est en fait qu'un recueil de brouillons rédigés autour de 1909, et demeurés inédits jusqu'en 1954. La querelle qu'il chercha au premier des critiques modernes conduisit cependant Proust à la *Recherche du temps perdu*. Chez lui, la réflexion sur la critique a précédé le roman, elle en a été la condition indispensable. En ce sens, et même si Proust a peu pratiqué la critique littéraire comme genre, l'activité critique lui fut fondamentale : initiale et même initiatique. Elle s'intégra au roman, dont il entama la rédaction en 1909, avec des pages sur Saint-Simon et Mme de Sévigné, Baudelaire et Dostoïevski, ou sur Bergotte, l'écrivain imaginaire, puis surtout avec l'exposé dogmatique du *Temps retrouvé*.

Jusqu'à l'entreprise romanesque, les articles critiques publiés par Proust furent de courtes pièces de circonstance, des comptes rendus souvent complaisants — Montesquiou, Lucien Daudet, Anna de Noailles, encensés — sauf les articles sur Ruskin de 1900-1905, qui devinrent les préfaces du traducteur à *La Bible d'Amiens* et à *Sésame et les lys*, publiés en 1904 et en 1906. Celles-ci représentent une première élaboration de sa doctrine esthétique, à laquelle il demeura globalement fidèle. En fait, Proust ne fit paraître que quatre textes critiques majeurs, dans les années qui suivirent la guerre, alors que son œuvre avait été consacrée par le prix Goncourt en 1919. Les articles sur Flaubert et sur Baudelaire parurent en 1920 et 1921 dans *La Nouvelle Revue française*, où Proust était désormais le collaborateur capital, après avoir été éconduit en 1912 par Gide et Gaston Gallimard. Les préfaces aux livres de Jacques-Emile Blanche et Paul Morand — des chroniques sur la peinture et un recueil de nouvelles — parurent en 1919 et 1920.

Ces quatre essais sont également de circonstance : les pages sur Flaubert répondent à un article d'Albert Thibaudet, publié dans la même revue, et prennent position dans une querelle contemporaine, celles sur Baudelaire furent sollicitées par Jacques Rivière, le directeur de la *NRF*, pour le centenaire de la naissance du poète ; mais ils vont bien au-delà de la circonstance et suffisent à définir, sinon une méthode critique proprement dite, du moins un certain point de vue sur la littérature, le *Qu'est-ce que la littérature ?* de Proust, exprimé au moment de l'achèvement de son œuvre romanesque. Alors il se divertit, et renoue avec le temps qui avait précédé la retraite romanesque. On retrouve dans ces textes la plupart des thèmes abordés dans le *Contre Sainte-Beuve*, Proust s'étant manifestement servi des brouillons de 1909 pour rédiger les articles de l'après-guerre. Il réutilise les matériaux du *Contre Sainte-Beuve* qui n'ont pas trouvé une place dans le roman, mais tient aussi à rendre publics ses choix esthétiques, à défendre son roman contre les critiques qui en condamnaient par exemple l'absence de composition, sans attendre, ni faire attendre, le dénouement du *Temps retrouvé* et l'exposé final de sa doctrine. Nombreuses sont ainsi les allusions de Proust à son œuvre, les anticipations de ses analyses, et les justifications de sa construction. C'est pourquoi il n'y a pas de meilleure introduction à l'idéal littéraire proustien que ses essais critiques de l'après-guerre.

Le *Contre Sainte-Beuve. Souvenirs d'une matinée* devait comprendre deux parties, narrative et critique. La première, composée de souvenirs d'enfance et de jeunesse, aurait servi à illustrer, à étayer la seconde. Et la seconde, sous la forme d'une « conversation avec Maman », aurait été excellemment résumée dans le titre prévu : une dénonciation de la critique beuvienne, qui pose en principe une liaison entre l'homme et l'œuvre, entre la vie sociale et la création artistique, qui fait un va-et-vient entre l'histoire et la littérature. Selon Proust, telle étant la conception que le *Contre Sainte-Beuve* élabore et dont la *Recherche* héritera, le moi social et le moi créateur n'ont rien à voir l'un avec l'autre, et toute démarche critique qui entreprend d'expliquer celui-ci par celui-là se fourvoie radicalement. D'où ce jugement sans appel : Sainte-Beuve s'est trompé sur toute la littérature contemporaine en particulier, sur Stendhal et Balzac, sur Baudelaire et Flaubert, parce qu'il connaissait les auteurs et qu'il fut victime d'une illusion biographique.

Le peintre Jacques-Emile Blanche, que Proust avait fréquenté dans sa jeunesse mondaine, est l'auteur d'un portrait du jeune Marcel constamment reproduit et qui n'en reste pas moins fade et impersonnel. Les deux hommes sont des amis de longue date, et Blanche a publié l'un des premiers comptes rendus du *Côté de chez Swann*, dans *L'Echo de Paris* en avril 1914. Ils ne sont, toutefois, d'accord sur rien, ou du moins ils sont en désaccord sur l'essentiel. Proust accepte d'écrire une préface aux *Propos de peintre* de Blanche, alors qu'il en désapprouve la méthode, la manière de parler de Manet, de Fantin-Latour, etc., qui n'est pas loin de celle de Sainte-Beuve, notant les traits de caractère, rapportant des anecdotes. Etrange préface qui dénonce le texte en le couvrant de compliments excessifs ! Blanche hésitera à la laisser paraître et il y répondra dans la seconde livraison de ses *Propos de peintre*, en 1921. « *Ainsi*, juge Proust, *le point de vue auquel se placent trop souvent Sainte-Beuve et quelquefois Jacques Blanche n'est pas le véritable point de vue de l'Art. Mais c'est celui de l'Histoire.* » Et Proust de menacer Blanche du même traitement afin de lui en faire voir le danger : « *Blanche dit bien gentiment de Manet, ce qui est vrai aussi de lui, Blanche (et ce qui explique en partie le temps qu'on a mis à le faire sortir de la catégorie des "amateurs distingués"), qu'il était modeste, humain, sensible à la critique.* » Bref, le point de vue que Blanche adopte sur Manet, appliqué à Blanche lui-même se révélerait dévastateur : « *Tout ce que [...] Jacques Blanche dit à propos de Manet,*

— de Manet que ses amis trouvaient charmant, mais ne prenaient pas au sérieux, ne "savaient pas si fort", — je l'ai vu se produire pour Blanche. » Proust en sait quelque chose, lui à qui Gide écrivit en 1914, pour expliquer son refus de *Du côté de chez Swann* à la *NRF* : « *Pour moi, vous étiez resté celui qui fréquente chez Mme X ou Y, et celui qui écrit dans le* Figaro. *Je vous croyais, vous l'avouerai-je,* du côté de chez Verdurin ! *un snob, un mondain amateur, — quelque chose d'on ne peut plus fâcheux pour notre revue.* » Dénonçant la myopie sociale de Blanche et renouvelant contre elle les attaques qu'il livrait en 1909 contre la critique beuvienne, Proust tente de prévenir une méconnaissance qui a affecté la réception de son œuvre. Le souci critique de Proust conserve encore pour fin son propre roman.

D'ailleurs, il faut du temps pour que l'œuvre d'art novatrice soit reconnue comme telle. C'est le second article de son esthétique que Proust énonce dans la préface des *Propos de peintre* de Blanche : ayant trait à l'accueil réservé à l'art, relevant à la fois de la sociologie et de la philosophie, elle ébauche la critique de la réception qui s'est constituée récemment. Selon une constante de la pensée de Proust depuis sa lecture de Ruskin et son adhésion à la pensée idéaliste, l'artiste original est ignoré du public par un malentendu fatal, « *qui existe toujours entre ceux dont les yeux sont pleins malgré eux de la peinture d'hier et les auteurs des œuvres qui seront dignes du passé parce qu'elles ont été placées d'avance dans l'avenir* ». L'artiste nouveau dérange les schèmes artistiques. Dans la préface de *Tendres stocks*, Proust évoque un « *nouvel écrivain* » qui tient de Morand et de Giraudoux, qu'il citera dans *Le Côté de Guermantes* : « *Ce nouvel écrivain est généralement assez fatigant à lire et difficile à comprendre parce qu'il unit les choses par des rapports nouveaux.* » Dans la *Recherche*, Bergotte, Elstir, Vinteuil souffriront de la même incompréhension. « *Quand Renoir commença de peindre, on ne reconnaissait pas les choses qu'il montrait. Il est facile de dire aujourd'hui que c'est un peintre du XVIIIe siècle. Mais on omet, en disant cela, le facteur temps, et qu'il en a fallu beaucoup, même en plein XIXe, pour que Renoir fût reconnu grand artiste.* »

Le temps tranchera, mais Proust ajoute ici une idée nouvelle, qu'il développera dans la suite des essais critiques de l'après-guerre et qui en deviendra la thèse même : l'artiste que le temps consacre, ce n'est nullement celui qui se voulut d'avant-garde mais celui qui fut révolutionnaire malgré lui, comme Manet ou Renoir en peinture, comme Fauré en musique, et qui se révèle après coup un classique, bien plus marqué par son appartenance à la tradition que par sa rupture avec elle : Renoir est non seulement reconnu désormais, mais il est même reconnu comme un peintre du XVIIIe siècle. « *C'est beau comme le classique* », fait dire Proust aux maîtresses de maison qui font maintenant honneur aux natures mortes de Blanche qu'elles remettaient naguère dans les cabinets. Il y a de la boutade dans ce « *beau comme le classique* » à la Verdurin, et Proust évoque avec un peu d'ironie le « traditionalisme » de Blanche, qui le fait apprécier Manet et non Picasso, et en Manet, non le côté Monet mais le côté Goya. Dans le « traditionalisme français » de Blanche, il y a un relent de « néo-classicisme » que Proust n'aime guère. Le classique du futur qu'il exalte, ce n'est sûrement pas le néo-classique du présent, mais ce qui, inaperçu aujourd'hui, rattache le moderne à une tradition et lui vaudra bientôt l'épithète de « classique » au lieu de celle de « démodé ».

Mais quelle originalité est destinée à devenir classique ? Proust la définit dans son essai sur Flaubert comme la qualité de la langue ou l'originalité du style. L'article de Thibaudet lui servit seulement de prétexte pour une méditation qui reprend des notes de 1909 et prolonge la préface des *Propos de peintre :* les quatre essais critiques de 1918-1921 forment un ensemble. « *Comme il* a tant peiné sur sa syntaxe, c'est en elle qu'il a logé *pour toujours son originalité. C'est un génie grammatical* », écrivait Proust de Flaubert dans un brouillon de 1909. Thibaudet avait contesté que Flaubert fût un « *grand écrivain de race* », et insisté sur le caractère laborieux de son écriture. Le débat est aussi ancien que *Madame Bovary*, dont on n'a pas cessé de relever les fautes de français. « *Il y a une beauté grammaticale*, objecte Proust, *qui n'a rien à voir avec la correction.* » Proust se sent certainement visé, lui dont Paul Souday, parmi d'autres, a critiqué les fautes de français dans son compte rendu du *Temps*, en 1913. Mais il relève trois singularités syntaxiques de Flaubert qui composent à ses yeux une nouvelle vision du monde. Un artiste original, c'est une nouvelle vision du monde, et une nouvelle vision du monde, en littérature, ce sont quelques formes inédites. Chez Flaubert : l'emploi de l'imparfait pour marquer un état qui se prolonge ; l'usage déconcertant de « *et* », comme un indicateur rythmique et non logique ; les adverbes lourds, qui « *maçonnent* » les phrases. Proust ne raffole pas de la langue de Flaubert, mais il reconnaît qu'elle est une langue, c'est-à-dire un système, une forme conçue. Les trois traits qu'il observe contribuent au « *grand Trottoir roulant* » des pages de Flaubert, à une vision du monde que Proust caractérise par la primauté de l'impression sur l'action. Le style de *L'Education sentimentale*, dans sa pesanteur et son aplatissement, dans son incorrection même, constitue une vision inédite, totalement accomplie, et sans doute aux yeux de Proust l'une des rares œuvres du XIXe siècle à échapper au grief d'un manque de conception formelle et de composition que le narrateur de *La Prisonnière* formulera à l'encontre de Balzac, Michelet, Wagner, tous ces artistes imparfaits qui ne comprirent qu'après coup ce qu'ils avaient fait.

Or son analyse stylistique de Flaubert — ébauche de l'une des tendances les plus intéressantes de la critique contemporaine, celle à laquelle appartient notamment l'analyse de la phrase de Proust par Leo Spitzer —, Proust la présente comme un simple complément, un prolongement de ses pastiches. Il cherche à élucider ce qu'il avait autrefois improvisé, dans son pastiche de Flaubert et dans son pastiche de Sainte-Beuve rendant compte de Flaubert. Proust critique est inséparable de Proust pasticheur. Le pastiche est l'activité critique fondamentale aux yeux de Proust, et une critique qui ne repose pas sur l'imprégnation que permet le pastiche demeure arbitraire : Sainte-Beuve, c'est au fond son erreur fatale, ne cherche jamais à pénétrer l'œuvre dont il parle, à la comprendre selon son auteur, il la considère toujours de l'extérieur. Les pastiches sont en revanche la forme privilégiée de la critique proustienne ; ils établissent que sa finalité est l'œuvre, que Proust n'est jamais un critique que par raccroc, afin d'aller et de revenir au roman : « *Faire un pastiche volontaire*, propose-t-il, *pour pouvoir après cela, redevenir original, ne pas faire toute sa vie du pastiche involontaire.* »

La préface à *Tendres stocks* de Paul Morand poursuit sur la lancée. Elle se déploie autour de deux fronts : d'une part la phrase déconcertante de ce « *nouvel écrivain* » qu'est Paul Morand, d'autre part un article d'Anatole France sur Stendhal, où le vieux maître s'en prend à la langue du XIXe et du XXe siècle. Il faut ajouter Daniel Halévy, l'ami de Proust au lycée Condorcet, avec qui il dialogue tout au long de ses essais critiques de l'après-guerre. Halévy ayant célébré le cinquantenaire de la mort de Sainte-Beuve dans les *Débats* en 1919, Proust l'avait repris dans l'article sur Flaubert, ironisant sur la « *délicieuse mauvaise musique qu'est le langage parlé, perlé, de Sainte-Beuve* », et concluant : « *C'est uniquement comme d'amis personnels qu'il parle des Goncourt.* » Halévy avait pris la défense de Sainte-Beuve dans *La Minerve française* en 1920, et Proust lui réplique à la fois dans la préface de *Tendres stocks* et dans l'article sur Baudelaire. Or la querelle avec Halévy introduit l'objet essentiel de la critique proustienne auprès de Sainte-Beuve, condamné pour son aveuglement historique, et de Flaubert, loué pour son originalité syntaxique : « *le plus grand poète du XIXe siècle* », Baudelaire. Sainte-Beuve l'a cruellement méconnu, décrivant ainsi *Les Fleurs du mal* : « *Ce singulier kiosque, fait en marqueterie, d'une originalité concertée et composite, qui, depuis quelque temps, attire les regards à la pointe extrême du Kamtchatka romantique, j'appelle cela la* folie Baudelaire. » Baudelaire a été la victime impardonnable de Sainte-Beuve, Proust n'est pas le premier à le signaler, et Fernand Vandérem lui enverra un article qu'il avait publié en 1914, en lui reprochant de l'avoir pillé. Mais comme dans son Flaubert, Proust reprend pour son Baudelaire des passages entiers des brouillons de 1909 contre Sainte-Beuve.

Il fait ainsi coup double. Exaltant le poète des *Fleurs du mal* pour s'opposer à Sainte-Beuve et Halévy, il contredit aussi Anatole France, le préfacier des *Plaisirs et les jours* et l'un des modèles de Bergotte. Baudelaire n'écrit pas moins bien que Racine, d'ailleurs Racine écrit parfois mal, et Baudelaire, selon le refrain que Proust entonnera jusqu'à sa mort, est un « *grand poète classique* ». La définition convient particulièrement en 1921, deux ans après le cinquantenaire de la mort de Sainte-Beuve, pour le centenaire de la naissance de Baudelaire, et l'article de Proust la commémorera officiellement dans la *NRF*. C'est sans doute le plus important essai critique de Proust, qui doit tant à Baudelaire, et le plus beau. L'inspiration baudelairienne des *Plaisirs et les jours* était manifeste, un peu trop même, et les « Marines » et « Clairs de lune » y avaient souvent l'allure de pastiches encore involontaires des poèmes en prose du *Spleen de Paris*. La réminiscence, sur laquelle se fonde l'esthétique de la *Recherche du temps perdu*, est l'héritière de la correspondance baudelairienne. Lors de la révélation du *Temps retrouvé*, le narrateur reconnaîtra sa dette : « *J'allais chercher à me rappeler les pièces de Baudelaire à la base desquelles se trouve ainsi une sensation transposée, pour achever de me replacer dans une filiation aussi noble, et me donner par là l'assurance que l'œuvre que je n'avais plus aucune hésitation à entreprendre méritait l'effort que j'allais lui consacrer.* » La métaphore, que *Le Temps retrouvé* donnera pour l'absolu littéraire — *« les anneaux nécessaires d'un beau style »* —, ce que l'article sur Flaubert annonçait — *« je crois que la métaphore seule peut donner une sorte d'éternité au style, et il n'y a peut-être pas dans tout Flaubert une seule belle métaphore »* —, c'est dans *Les Fleurs du mal* que Proust en a découvert l'idéal. L'hommage de 1921 annonce ainsi le rôle capital que joue Baudelaire dans la *Recherche*, et il le fait en rattachant *Les Fleurs du mal* au classicisme.

Selon une conviction ancienne de Proust, l'originalité d'une langue ne réside pas dans l'originalité du mot, en particulier de l'adjectif, l'épithète rare des Goncourt, ou l'épithète transposée de Sainte-Beuve, qui, selon un grief constant de Proust, fait « *dérailler le sens des mots* », et dont la vieille marquise de Cambremer, avec ses trois adjectifs en série incohérente, sera l'émule dans le roman. La grandeur de Baudelaire, comme celle de Flaubert — mais Proust n'apprécie pas seulement intellectuellement celle de Baudelaire —, tient au contraire à des singularités syntaxiques, à l'emploi des mots « *les plus usuels* » dans le cadre d'une syntaxe hardie. Afin d'identifier la grandeur du style et l'audace syntaxique, Proust cite traditionnellement des vers d'*Andromaque* :

Je t'aimais inconstant, qu'aurais-je fait fidèle !

ou :

Pourquoi l'assassiner ? Qu'a-t-il fait ? A quel titre ? Qui te l'a dit ?

Racine et Baudelaire sont frères, et dans *Les Fleurs du mal*, les vers les plus raciniens sont ceux des « Femmes damnées » :

Ses bras vaincus, jetés comme de vaines armes,
Tout servait, tout parait sa fragile beauté.

« *On sait*, tel est le commentaire de Proust, *que ces derniers vers s'appliquent à une femme qu'une autre femme vient d'épuiser par ses caresses. Mais qu'il s'agisse de peindre Junie devant Néron, Racine parlerait-il autrement ?* » Proust insiste sur la même idée dans une brève réponse, exemplaire, à une enquête contemporaine de *La Renaissance politique, littéraire, artistique* : « *Tout art véritable est classique* », mais le public ne s'en rend pas compte, l'*Olympia* de Manet est jugée scandaleuse, *Madame Bovary* et *Les Fleurs du mal* sont accueillies par des procès, sont condamnées, et c'est seulement avec le recul du temps que l'« *on goûte devant l'*Olympia *le même genre de plaisirs que donnent les chefs-d'œuvre qui l'entourent, et dans la lecture de Baudelaire* [le même] *que dans celle de Racine.* […] *Ces grands novateurs sont les seuls vrais classiques et forment une suite presque continue.* »

Si toute la critique de Proust tend vers son œuvre, peut-être le motif de sa passion de 1921 pour Baudelaire y réside-t-il. Les essais critiques proustiens de l'après-guerre ont une forte unité. Tout y converge vers la grandeur, le classicisme de Baudelaire. Or les plus raciniennes des *Fleurs du mal* sont les « pièces condamnées » : « *Le classicisme de la forme, estime Proust, s'accroît en proportion de la licence des peintures.* » Dans ses lettres à Jacques Rivière du printemps 1921, Proust veut obtenir l'assurance que son article sur Baudelaire paraîtra après *Sodome et Gomorrhe I*, prévu pour mai 1921, où la rencontre de Charlus et Jupien dans la cour de l'hôtel Guermantes, suivie de « *La race des tantes* », fait prendre à la *Recherche* un virage risqué : « *Le titre en est tel qu'on hésite à le reproduire, et le sujet à l'unisson* », avertit *L'Action française*, jusque-là complice. Proust se veut frère de Baudelaire au moment de publier *Sodome*, frère du poète des « Lesbiennes ». Montrer en Baudelaire le classique que ses contemporains méconnurent, c'est pour ainsi dire mettre en garde : voyez, celui que vous condamniez, vous reconnaissez désormais en lui un autre Racine. Racine, Baudelaire, Proust : telle est donc la fraternité, la tradition classique qui s'impose au fil des essais critiques proustiens de l'après-guerre. Ils composent assurément un plaidoyer de Proust pour sa propre cause. Mais ils n'en posent pas moins des jalons dans les directions les plus

originales de la critique littéraire du XXe siècle :
tournant le dos à Sainte-Beuve, rompant avec
l'histoire, libérant de l'illusion biographique ou
sociologique — ce pourquoi Proust déconcerta
Gustave Lanson, le fondateur de l'histoire littéraire française —, ils incitent à une analyse des
formes propres à un style, celui de Flaubert, de
Baudelaire, ou de Proust, et traduisant la vision
singulière d'un écrivain.

A.C.

PROUST CRITIQUE

Chaque jour j'attache moins de prix à l'intelligence. Chaque jour je me rends mieux compte que ce n'est qu'en dehors d'elle que l'écrivain peut ressaisir quelque chose de nos impressions passées, c'est-à-dire atteindre quelque chose de lui-même et la seule matière de l'art. Ce que l'intelligence nous rend sous le nom du passé n'est pas lui. En réalité, comme il arrive pour les âmes des trépassés dans certaines légendes populaires, chaque heure de notre vie, aussitôt morte, s'incarne et se cache en quelque objet matériel. Elle y reste captive, à jamais captive, à moins que nous ne rencontrions l'objet. A travers lui nous la reconnaissons, nous l'appelons, et elle est délivrée. L'objet où elle se cache — ou la sensation, puisque tout objet par rapport à nous est sensation —, nous pouvons très bien ne le rencontrer jamais. Et c'est ainsi qu'il y a des heures de notre vie qui ne ressusciteront jamais. C'est que cet objet est si petit, si perdu dans le monde, il y a si peu de chances pour qu'il se trouve sur notre chemin ! Il y a une maison de campagne où j'ai passé plusieurs étés de ma vie. Parfois je pensais à ces étés, mais ce n'étaient pas eux. Il y avait grandes chances pour qu'ils restent à jamais morts pour moi. Leur résurrection a tenu, comme toutes les résurrections, à un simple hasard.

Marcel Proust
Contre Sainte Beuve (Projet de préface)

Sur l'art :
Pour Jacques-Emile Blanche
(1919)

Ce texte parut en 1919 en préface à *Propos de peintre. De David à Degas*, de Jacques-Emile Blanche.

Cet Auteuil de mon enfance, — de mon enfance et de sa jeunesse, — qu'évoque Jacques Blanche, je comprends qu'il s'y reporte avec plaisir comme à tout ce qui a émigré du monde visible dans l'invisible, à tout ce qui, converti en souvenirs, donne une sorte de plus-value à notre pensée, ombragée de charmilles qui n'existent plus. Mais cet Auteuil là m'intéresse encore davantage comme un même petit coin de la terre observable à deux époques, assez distantes, de son voyage à travers le Temps.

Entre ces jours anciens et ceux de maintenant, Auteuil, sans qu'il ait eu l'air de bouger, a traversé plus de vingt années, pendant lesquelles Jacques-Emile Blanche a conquis la célébrité comme peintre et écrivain, alors que moi, dans les jardins voisins et au bord des mêmes vieux « Fontis », je n'ai attrapé que la fièvre des foins. Tout ce que, dans des pages qui sont des merveilles d'intelligence et de mélancolie, Jacques Blanche dit à propos de Manet — de Manet que ses amis trouvaient charmant, mais ne prenaient pas au sérieux, ne « savaient pas si fort » —, je l'ai vu se produire pour Blanche. Ici le milieu n'était pas le même et son élégance donnait une forme différente au malentendu, au fond identique, qui existe toujours entre ceux dont les yeux sont pleins malgré eux de la peinture d'hier et les auteurs des œuvres qui seront dignes du passé parce qu'elles ont été placées d'avance dans l'avenir, des œuvres qu'il faudrait pouvoir regarder en se mettant à la distance des années qu'elles anticipent et avec cette adaptation de la sensibilité qui exige précisément « du temps ».

Souvent, pendant que Jacques Blanche peignait, une belle dame couronnée de fleurs faisait arrêter sa victoria devant l'atelier. Elle descendait, contemplait, croyait juger. Comment eût-elle pu supposer qu'un chef-d'œuvre naissait sous les doigts d'un homme si bien habillé, avec lequel elle avait dîné la veille, qui s'était montré un causeur si fin et passait pour si méchant. Le proverbe — par extraordinaire — est faux qui dit : « Il n'y a pas de grand homme pour son valet de chambre. » Et il devrait être retouché ainsi : « Il n'y a pas de grand homme pour ses amphitryons, il n'y a pas de grand homme pour ses invités. » Quant à la « méchanceté » pour ma part, je n'ai connu que l'invariable expansion d'un grand cœur et la sérénité d'un juste. Cette « méchanceté » ou soi-disant telle, ne fut pas inutile à Jacques Blanche et s'il y a eu dans cette réputation un peu de sa faute, alors répétons le *Felix culpa* qui était cher à Renan. Le danger pour Blanche c'était que, élégant, spirituel, il dissipât sa vie dans la mondanité. Mais la nature qui invente au besoin des névroses protectrices, de tutélaires infortunes, pour que le don nécessaire ne soit pas laissé en friche, voulut que ce renom de médisance le brouillât assez vite avec les gens qui l'eussent empêché de peindre, et, les jours où il eût peut-être mieux aimé aller à une garden-party, le rejetât de force dans son atelier avec la rudesse de l'Ange baudelairien :

Car je suis ton bon ange, entends-tu, je le veux.

Si l'on savait mieux démêler

ces choses inconnues,
Où la douleur de l'homme entre comme élément,

on verrait que nous devons beaucoup plus, dans la vie, aux choses qui nous ont été désagréables, qu'aux autres. Cette fois-ci c'est un proverbe qui le dit avec toute la force incluse en la plupart

35

d'entre eux : « A quelque chose malheur est bon. »

Je ne peux pas me rappeler exactement si c'est dans l'incomparable salon de Mme Straus, dans celui de la Princesse Mathilde ou de Mme Baignières que j'ai fait la connaissance de Jacques Blanche, vers l'époque de mon service militaire, c'est-à-dire à peu près à vingt ans. En tout cas, c'est dans ces trois salons que je le retrouvais le plus souvent, et une esquisse au crayon qui a précédé mon portrait à l'huile a été faite avant le dîner, à Trouville, dans les admirables Frémonts qui étaient alors la résidence de Mme Arthur Baignières et où montaient du manoir des Roches ou de la villa Persane la marquise de Gallifet, cousine germaine de la maîtresse de la maison, avec la princesse de Sagan, toutes deux dans leur élégance aujourd'hui à peu près indescriptible, d'anciennes belles de l'Empire.

Comme mes parents passaient le printemps et le commencement de l'été à Auteuil où Jacques Blanche habitait toute l'année, j'allais sans peine le matin poser pour mon portrait. A ce moment la maison qui s'est construite en hauteur, sur l'atelier même, comme une cathédrale sur la crypte de l'église primitive, était répandue, en ordre dispersé, dans les beaux jardins ;

et après la séance de pose, j'allais déjeuner dans la salle à manger du docteur Blanche, lequel, par habitude professionnelle, m'invitait de temps à autre au calme et à la modération. Si j'émettais une opinion que Jacques Blanche contredisait avec trop de force, le docteur, admirable de science et de bonté, mais habitué à avoir affaire à des fous, réprimandait vivement son fils : « Voyons, Jacques, ne le tourmente pas, ne l'agite pas. — Remettez-vous, mon enfant, tâchez de rester calme, il ne pense pas un mot de ce qu'il a dit ; buvez un peu d'eau fraîche, à petites gorgées, en comptant jusqu'à cent. » D'autres fois je rentrais déjeuner tout près de la maison des Blanche, chez mon grand-oncle, encore à une « étape » (comme dirait M. Bourget) moins avancée que M. et Mme Blanche, ces deux « grands bourgeois » dont Jacques-Emile a laissé d'inoubliables portraits, qui font penser aux Régents et Régentes de l'Hôpital, de Hals. (« C'est une opinion courante et presque banale que l'image de leur mère offre aux artistes une occasion sans seconde d'exprimer le tréfonds d'eux-mêmes », a dit Jacques Blanche, dans ce Whistler qui est la perle délicieuse et mélancolique, la verrerie la plus délicatement irisée de la présente collection.)

Cette maison que nous habitions avec mon

oncle, à Auteuil au milieu d'un grand jardin qui
fut coupé en deux par le percement de la rue (depuis l'avenue Mozart), était aussi dénuée de
goût que possible. Pourtant je ne peux dire le
plaisir que j'éprouvais quand après avoir longé
en plein soleil, dans le parfum des tilleuls, la rue
La Fontaine, je montais un instant dans ma
chambre où l'air onctueux d'une chaude matinée avait achevé de vernir et d'isoler, dans le
clair-obscur nacré par le reflet et le glacis des
grands rideaux (bien peu campagne) en satin
bleu Empire, les simples odeurs du savon et de
l'armoire à glace ; quand après avoir traversé en
trébuchant le petit salon, hermétiquement clos
contre la chaleur, où un seul rayon de jour,
immobile et fascinateur, achevait d'anesthésier
l'air, et l'office où le cidre — qu'on verserait
dans des verres d'un cristal un peu trop épais, qui
donnerait en buvant l'envie de les mordre,
comme certaines chairs de femme, à gros grains,
en les embrassant — avait tant rafraîchi que,
tout à l'heure, introduit dans la gorge, il pèserait
contre les parois de celle-ci en une adhérence to-
tale, délicieuse et profonde, — j'entrais enfin
dans la salle à manger à l'atmosphère transpa-
rente et congelée comme une immatérielle agate
que veinait l'odeur des cerises déjà entassées
dans les compotiers, et où les couteaux, selon la
mode la plus vulgairement bourgeoise, mais qui

m'enchantait, étaient appuyés à de petits prismes de cristal. Les irisations de ceux-ci n'ajoutaient pas seulement quelque mysticité à l'odeur du gruyère et des abricots. Dans la pénombre de la salle à manger, l'arc-en-ciel de ces porte-couteaux projetait sur les murs des ocellures de paon qui me semblaient aussi merveilleuses que les vitraux — préservés seulement dans les exquis relevés et transpositions qu'en a donnés Helleu — de la cathédrale de Reims, de cette cathédrale de Reims que de sauvages Allemands aimaient tant, que ne pouvant la prendre de force ils l'ont vitriolée. Hélas ! je ne prévoyais pas ce hideux crime passionnel contre une Vierge de pierre, je ne savais pas prophétiser, quand j'écrivis la *Mort des Cathédrales**.

Blanche dit bien gentiment de Manet, ce qui est vrai aussi de lui, Blanche (et ce qui explique en partie le temps qu'on a mis à le faire sortir de la catégorie des « amateurs distingués »), qu'il était modeste, humain, sensible à la critique. Il faudrait pouvoir insister sur ces qualités familières généralement associées au talent et qui

---

* On peut aisément deviner que je n'ai pas attendu la défaite de l'Allemagne pour écrire ces lignes ; elles lui sont antérieures ; les gens qui crient « à mort » sur le passage d'un condamné me sont peu sympathiques, et je n'ai pas l'habitude d'insulter les vaincus.

empêchent, pour une forte part, qu'il soit reconnu. Pour montrer que (sans talent compen-
sateur, hélas !), je comprends fort bien tout de
même ce genre de caractère qui, sous une forme
ou une autre, est celui de tous les grands artistes
étudiés par Jacques Blanche dans ce livre, je dirai en me laissant aller aux souvenirs de cet Auteuil de mon adolescence, que par nature et par
éducation, il m'eût alors semblé du plus mauvais
goût de faire état d'avantages ou de prétendus
avantages, que des camarades avec qui je me
trouvais ne possédaient pas. Que de fois, rencontrant à la gare Saint-Lazare des étudiants qui
rentraient aussi à Auteuil, ai-je, en rougissant,
dissimulé, pour qu'ils ne pussent pas le voir, mon
billet de première et suis-je monté en troisième
comme eux, avec l'air de n'avoir jamais connu
de ma vie d'autres compartiments. Pour la
même raison, je me cachais aux yeux des mêmes
collégiens d'aller déjà, et du reste bien peu à
cette époque, dans le monde, si bien que mon
« manque de relations » excitait chez eux une véritable pitié et qu'ils n'eussent pas cru pouvoir
me laisser apercevoir par les gens qu'ils considé-
raient comme élégants. Je me rappelle qu'une
fois, comme je sortais de chez Blanche, je montai chez un de ces jeunes gens qui, probablement, « recevait » ce jour-là sans que je le susse.
En entendant la sonnette, il vint ouvrir lui-même

croyant qu'il allait se trouver devant un de ses invités. Mais, en me voyant, il fut pris de la terreur folle que des personnes de ses relations pussent rencontrer un être qui avouait lui-même n'en avoir aucune, et avec l'agilité du kangouroo boxeur ou de l'ami qui dans un vaudeville précipite le mari hors de la chambre où il pourrait trouver sa femme avec un amant, il me fit descendre les escaliers, aussi vite je pense qu'un commandant de sous-marin fait quitter un navire torpillé à ses malheureux passagers, en me criant : « Excusez-moi, mon cher, votre présence ici est impossible, vous comprendrez tout d'un mot, j'ai à goûter les Dutilleul. » Je ne savais pas et n'ai jamais appris depuis qui étaient les Dutilleul et quelles déflagrations catastrophiques auraient pu naître de mon rapprochement avec ces personnes glorieuses. Le même soir, je devais aller à un bal chez la princesse de Wagram. Mon grand-père ne se soucia pas de m'emmener avec lui en voiture. Il quittait d'ailleurs trop tôt Auteuil, car s'il venait y dîner tous les soirs, il tenait à rentrer coucher à Paris. Il ne l'a jamais quitté un seul jour pendant les quatre-vingt-cinq ans qu'il a vécus (et cet exemple m'aide à comprendre mieux que tous les commentaires, la sédentarité bourgeoise à laquelle Jacques Blanche va vous raconter tout à l'heure que Fantin-Latour était si passionnément, si maniaquement attaché), sauf au moment du siège de Paris où il alla mettre ma grand-mère en sûreté à Etampes. Ce fut le seul déplacement qu'il accomplit au cours de sa longue vie. En rentrant le soir à Paris, il passait devant le viaduc du chemin de fer, et la vue de wagons capables d'emmener les insensés chercheurs d'inconnu, au-delà du « Point du Jour » ou de « Boulogne », lui faisait éprouver au fond de son coupé un sentiment d'intense *Suave mari magno.*

« Et dire, s'écriait-il, en regardant le train avec un mélange d'étonnement, de pitié et d'effroi, et dire qu'il y a des gens qui aiment voyager ! »

Mes parents trouvant qu'un jeune homme ne doit pas dépenser son argent inutilement, me refusèrent pour me rendre au bal de Mme de Wagram, non seulement la voiture familiale dont les chevaux étaient dételés depuis sept heures du soir, mais même un modeste fiacre, et mon père déclara qu'il était tout indiqué que je prisse l'omnibus d'Auteuil-Madeleine qui passait devant notre porte et s'arrêtait avenue de l'Alma où était l'hôtel de la Princesse. Comme « boutonnière » je dus me contenter d'une rose coupée dans le jardin, sans fourreau en papier d'argent.

Malheureusement, l'hôte des Dutilleul était précisément dans l'omnibus quand j'y montai. Il s'excusa, sur l'éclat qui les environnait, de la rude opération à laquelle il avait été obligé de procéder dans l'après-midi et se tordant de joie, par comparaison avec sa propre élégance, il me dit : « Alors, comme ça, vous ne connaissez personne, vous n'allez jamais dans le monde, c'est très drôle ! » Tout d'un coup le déplacement du col de mon pardessus lui découvrit ma cravate blanche. « Tiens ! mais puisque vous n'allez jamais dans le monde, pourquoi êtes-vous en habit ? » Je finis, après toutes les défenses possibles, par avouer que j'allais au bal. « Ah ! vous allez tout de même au bal, mes compliments, ajouta-t-il sans plaisir. Et peut-on savoir quel est ce bal ? » De plus en plus gêné et pour ôter, comme à un vêtement qu'on ne veut pas porter trop neuf, l'éclat qu'il y aurait eu dans le mot « Princesse », je murmurai avec humilité : « Le bal Wagram. »

J'ignorais qu'il y avait pour les garçons de café et les « gens de maison » un bal qui se donnait salle Wagram et qui s'appelait le bal Wagram. « Ah ! elle est bien bonne », dit l'ami des Dutilleul, en reprenant sa gaieté, puis il ajouta sévèrement : « Mon cher, au moins on ne fait pas semblant d'être invité quand on est assez dénué de relations pour en être réduit à aller à des bals de domestiques, et payants encore ! »

La seule énumération des portraits que Jacques Blanche fit vers cette époque (en exceptant le mien) suffit à montrer qu'en littérature aussi, c'était l'avenir qu'il découvrait, qu'il élisait, et elle est déjà, par là, une première explication de l'extrême valeur, du charme unique, que possède le présent volume. En effet, tandis que les peintres illustres alors — un Benjamin Constant, par exemple — ne faisaient le portrait que d'écrivains chargés d'honneurs, dépourvus de mérite, et aujourd'hui aussi oubliés que leur peintre, Jacques Blanche peignait les amis dont il était seul ou presque seul à célébrer le talent « pour faire de l'originalité », disaient les gens du monde, ou peut-être par l'effet d'une méchanceté, qui, après avoir dénigré les grands hommes, trouvait un complément satanique de satisfaction à exalter les tenants de l'« Ecole de l'Incompréhensible ». La vérité était que tout simplement Jacques Blanche possédait en lui, comme tous les hommes assurés de l'avenir, cette perspective du temps où il faut savoir se placer pour regarder les œuvres. Et de fait, après vingt années traversées par l'« Auteuil de sa jeunesse », les mêmes maîtresses de maison sont trop heureuses de placer à leur droite tel ou tel de ces amis que Jacques Blanche portraiturait et encensait alors, un Barrès, un Henri de Régnier, un André Gide. Jacques Blanche, comme Maurice Denis, a toujours professé pour Gide l'admiration qui convient et à laquelle il nous est bien permis d'ajouter de la tendresse. Quant aux natures mortes de Blanche dont c'était une plaisanterie dans certains salons, en ce temps-là, de dire : « Il faudrait les mettre un peu plus en lumière, pour aujourd'hui seulement, parce que nous l'avons invité en quatorzième ou en curedents. On les remettra demain à un endroit où elles ne se voient pas », elles sont à la place d'honneur aujourd'hui dans les mêmes salons. Et la maîtresse de maison explique d'un air délicat : « N'est-ce pas ? c'est d'une beauté rare ; c'est beau comme le classique. Je vous dirai que j'ai toujours aimé cela, même au temps où cela m'obligeait à rompre des lances. » Et il serait peut-être injuste et un peu trop facile de dire que ces dames se contredisent ainsi parce que la peinture de Jacques Blanche est maintenant à la mode, mais qu'elles ne l'aiment pas davantage. Il est probable, au contraire, qu'elles l'aiment, puisque pour une œuvre d'art, être enfin mise à la mode, signifie qu'une telle évolution de l'optique et du goût s'est accomplie pendant une période plus ou moins longue, que les femmes de ce genre peuvent enfin aimer cette œuvre.

Le dimanche, Jacques Blanche se reposait, recevait des amis et « causait » quelques-unes des pages qui, écrites plus tard, sont réunies dans le volume pour lequel il m'a fait le grand honneur de me demander cette préface. Ces anciennes « causeries du dimanche », j'ai souvent dit à des amis quand ils les eurent lues dans des revues, qu'à mon avis elles étaient vraiment les *Causeries du lundi* de la peinture. Et je sais bien tout ce qu'une telle appellation renferme d'éloge. Je crois pourtant que je faisais un peu tort à Jacques Blanche. Le défaut de Jacques Blanche critique, comme de Sainte-Beuve, c'est de refaire l'inverse du trajet qu'accomplit l'artiste pour se réaliser, c'est d'expliquer le Fantin ou le Manet véritable, celui que l'on ne trouve que dans leur œuvre, à l'aide de l'homme périssable, pareil à ses contemporains, pétri de défauts, auquel une âme originale était enchaînée, et contre lequel elle protestait, dont elle essayait de se séparer, de se délivrer par le travail. C'est notre stupéfaction quand nous rencontrons dans le monde un grand homme que nous ne connaissons que par ses œuvres, d'avoir à superposer, à faire coïncider ceci et cela, à faire entrer l'œuvre immense (pour laquelle au besoin, quand nous pensions à son auteur, nous avions construit un corps imaginaire et approprié) dans la donnée irréductible d'un corps vivant tout différent. Inscrire les polygones les plus compliqués dans un cercle ou trouver un mot en losange est un exercice d'une facilité enfantine auprès de celui qui consiste à *réaliser*, comme diraient les Anglais, que le monsieur à côté de qui on déjeune est l'auteur de *Mon frère Yves* ou de *La Vie des Abeilles*. Or, c'est cet homme-là, celui qui n'est que le compagnon de chaînes de l'artiste, que cherche (du moins en partie) à nous montrer Jacques Blanche. Ainsi faisait Sainte-Beuve, et le résultat, c'est que quelqu'un qui, ignorant de la littérature du XIXᵉ siècle, essayerait de l'étudier dans les *Causeries du lundi,* apprendrait qu'il y eut alors en France des écrivains bien remarquables, tels que M. Royer-Collard, M. le comte Molé, M. de Tocqueville, Mme Sand, Béranger, Mérimée, d'autres encore ; qu'à la vérité Sainte-Beuve a personnellement connu certains hommes d'esprit qui eurent leur agrément, leur utilité passagère, mais qu'il est fou de vouloir transformer aujourd'hui en grands écrivains. Par exemple Beyle, qui avait pris, on ne sait trop pourquoi, le pseudonyme de Stendhal, lançait des paradoxes piquants et où il y avait bien souvent de la justesse. Mais nous faire croire que c'est un romancier ! Passe pour ses nouvelles ! Mais *Le Rouge et le Noir* et autres ouvrages pénibles à lire sont d'un homme peu doué. Vous eussiez étonné Beyle lui-même en parlant sérieusement de cela comme de chefs-d'œuvre. Encore plus eussiez-vous surpris Jacquemont, Mérimée, le comte Daru, tous ces hommes d'un jugement si sûr chez qui Sainte-Beuve rencontrait l'aimable Beyle et de l'opinion desquels, protestant contre l'absurde idolâtrie du jour, il

peut se porter garant. Sainte-Beuve nous dit :
« *La Chartreuse de Parme* n'est pas l'œuvre d'un
romancier. » Vous pouvez l'en croire, il a un
avantage sur nous, il dînait avec l'auteur, lequel
d'ailleurs, homme de bonne compagnie s'il en
fut, eût été le premier à vous rire au nez si vous
l'aviez traité de grand romancier. Encore un
gentil garçon, Baudelaire, ayant de beaucoup
meilleures manières qu'on n'aurait pu croire. Et
pas dénué de talent. Mais tout de même l'idée de
se présenter à l'Académie, ça aurait eu l'air
d'une mauvaise farce. L'ennui pour Sainte-
Beuve est d'avoir ainsi des relations avec des
gens qu'il n'admire pas. Quel brave garçon que
ce Flaubert ! Mais *L'Education sentimentale*
sera illisible. Et pourtant il y a des traits « bien
finement touchés » dans *Madame Bovary*. C'est
au fond, quoi qu'on en pense, supérieur à Fey-
deau.

Ce point de vue est celui auquel Jacques Blanche se place souvent (pas toujours) dans ce volume. Quelle stupéfaction pour les admirateurs
de Manet d'apprendre que ce révolutionnaire
était « ambitieux de décorations et de mé-
dailles », voulait prouver à ma grande amie
Mme Madeleine Lemaire qu'il pouvait faire
concurrence à Chaplin, ne travaillait que pour
les « Salons » et regardait plus souvent du côté
de Roll que de celui de Monet, Renoir et Degas.

Or toutes proportions gardées (puisque malgré tout le jugement d'un peintre sur un peintre est un jugement infiniment intéressant), ce point de vue-là c'est tout de même celui de la dame qui dirait : « Mais je peux très bien vous parler de Jacques Blanche ; il dînait tous les mardis chez moi. Je vous assure que personne ne songeait à le prendre au sérieux comme peintre, et lui-même sa seule ambition, c'était d'être un homme du monde très recherché. »

D'un certain Jacques Blanche peut-être, mais pas du vrai. Ainsi le point de vue auquel se placent trop souvent Sainte-Beuve et quelquefois Jacques Blanche n'est pas le véritable point de vue de l'Art. Mais c'est celui de l'Histoire. Et là est son grand intérêt. Seulement tandis que ce point de vue-là, Sainte-Beuve s'y tient pour tout de bon, ce qui fait qu'il classe souvent les écrivains de son époque à peu près dans l'ordre où aurait pu le faire Mme de Boigne ou la Duchesse de Broglie, Jacques Blanche ne l'adopte qu'un instant, en se jouant, pour multiplier les contrastes, éclairer le tableau, faire revivre la scène. Mais bien au contraire les peintres, comme les écrivains, qu'il a aimés, c'étaient ceux qui devaient être grands un jour, un jour que lui vivait par anticipation, de sorte que ses jugements resteront vrais et que ce livre écrit sur les peintres par un peintre qui les a vus travailler, qui peut nous décrire leur palette et les modifications qu'ont subies leurs toiles (donnant ainsi de leurs chefs-d'œuvre une gravure aussi émouvante que celles qui furent faites jadis de *La Cène* de Léonard, par Morghen, avant sa dégradation), mais par un peintre qui est aussi un étonnant écrivain, est à cause de cette dualité, unique. Fromentin ? dira-t-on. Passons l'éponge sur le peintre ; et avouons que l'écrivain, au moins dans les *Maîtres d'autrefois,* avec ses élégances à la George Sand, sinon à la Jules Sandeau, est inférieur à celui des *Maîtres de jadis et de naguère.* Jacques Blanche l'emporte surtout, c'est le point le plus intéressant pour les lecteurs, comme « connaisseur en peinture ». Qu'on se rappelle que dans les *Maîtres d'autrefois* écrits pourtant plusieurs siècles après la mort de ces peintres hollandais, le plus grand d'entre eux, Ver Meer de Delft, *n'est même pas nommé.* Certainement, comme Jean Cocteau, Jacques Blanche rendait justice au grand, à l'admirable Picasso, lequel a précisément concentré tous les traits de Cocteau en une image d'une rigidité si noble qu'à côté d'elle se dégradent un peu dans mon souvenir les plus charmants Carpaccio de Venise.

Sur la manière dont Whistler, Ricard, Fantin, Manet préparaient leur palette, que de révélations, que peut-être lui seul pouvait faire ! D'autre part, Blanche fait retourner un instant à leur existence périssable, tels qu'il les a connus, la table où [s'assirent] les amoureux chez le père Lathuille, « le miroir à pied de Nana », « le même meuble de chêne où tant de fleurs et de fruits peints par Fantin, achevèrent leur brève destinée », « le rideau de velours noir tendu, devant quoi le modèle de Whistler posait ». Et ainsi, comme si nous entrions en relations avec la femme vraie d'après laquelle Flaubert peignit Madame Bovary, ou Stendhal la Sanseverina, faisons-nous la connaissance de chacun de ces objets de l'atelier que nous avons vus d'abord dans l'inaltérable beauté du chef-d'œuvre, chacun « tel qu'en lui-même enfin l'éternité le change ». Et sans doute le retour en arrière que nous fait faire Blanche est plus que piquant, inépuisablement instructif. Il montre l'absurdité de certaines formules qui ont fait admirer les grands peintres pour les qualités contraires de celles qu'ils avaient (opposez le Manet de Blanche à l'irréel Manet de Zola « fenêtre ouverte sur la nature »). Tout de même ce point de vue de l'histoire me choque en ce qu'il fait attribuer par Blanche (comme par Sainte-Beuve) trop d'importance à l'époque, aux modèles. Sans doute il est d'un bien agréable fétichisme de croire qu'une bonne partie du Beau est réalisée hors de nous et que nous n'aurons pas à la créer. Je ne puis aborder ici ces questions de doctrine. Mais je ne suis pas si matérialiste que de croire que les modes du temps de Fantin rendaient plus facile de faire de beaux portraits, que le Paris de Manet était plus pictural que le nôtre, que la féerique beauté de Londres est une moitié du génie de Whistler.

On peut trouver parfois dans les portraits que Blanche donne ici quelque justification à l'accusation de malice. Le portrait de tel peintre, de Fantin par exemple, prête à sourire. Mais je le demande, un tel portrait, criant de vérité, d'originalité et de vie, ne louera-t-il pas plus efficacement le maître disparu (malgré les apparences d'irrespect qui ne peuvent tromper sur la sympathie si réelle de l'écrivain) que tant de pages uniformément dithyrambiques écrites par des critiques d'art qui ne connaissent rien à l'art ? Ont-ils mieux servi, entretenu l'intérêt et la vie autour de la gloire de Fantin que Jacques Blanche quand, pour l'atelier de Fantin comme pour celui de Manet, il nous donne des détails sans prix ? On peut ne pas trouver « aimables », dans le sens banal du mot, des précisions telles que celle-ci : « Fantin était d'une maladresse attendrissante dans l'arrangement d'un fond d'appartement ou le choix d'un siège. Ce réaliste scrupuleux épinglait derrière le modèle un bout d'étoffe grise, ou dressait un paravent de papier bis chargé de représenter les boiseries d'un salon. L'atelier de Fantin n'était pas plus subtilement éclairé que celui d'un photographe de jadis. Sa paresse et l'effroi qu'il avait de se transporter hors de chez lui le restreignaient encore. Il souffrait de ce plafond de verre qui d'un bout à l'autre de la pièce baignait également les personnages d'une lumière diffuse. La famille Dubourg m'apparaît telle que si M. Nadar avait prié ces braves gens de venir chez lui à la sortie de l'office divin, tout ankylosés dans leurs vêtements dominicaux. » Si on faisait encore de ces devoirs ridicules qui ne sont plus en honneur que dans certaines écoles de jeunes filles et où Plaute écrit « des enfers » à un dramaturge contemporain pour lui dire ce qu'il pense de sa nouvelle pièce, on pourrait « supposer » une lettre de Fantin reconnaissant que Blanche, quand il parle de lui, éveille souvent un sourire sur les lèvres du lecteur, mais ce même sourire plein de vénération qu'on a devant le portrait de Chardin par lui-même et où il apparaît coiffé d'un abat-jour. Surtout l'élève serait invité à faire ressortir que Fantin remercie Blanche d'avoir prolongé pour lui ce qui doit paraître le plus précieux aux morts, la vie. D'ailleurs Blanche l'a dit : « Le jugement porté par des critiques ou par des amis me semble juste en peu d'occasions, plutôt exagéré en bien qu'en mal. Juger est un besoin impérieux de mon esprit, les liens les plus tendres de l'affection ne m'ont jamais fait changer en cela. Il faut dire ce qu'on pense. Telle est ma conception de l'honnêteté, à une époque de disputes et de troubles universels. On n'admet plus qu'un sentiment : l'admiration passionnée. Or vous n'avez pas toujours l'occasion d'admirer vos contemporains, si votre idéal de beauté est élevé. Si j'ai blessé ou étonné certains compagnons de route, j'en suis chagrin pour eux, mais je me repose sur les plus judicieux, car il en est, ma foi, qui m'ont deviné et ne m'en veulent pas. »

Et pourtant quand il y a lieu d'admirer, avec quelle chaleur il admire. C'est une joie pour moi de trouver dans cet ouvrage (dont le présent volume n'est qu'un premier tome) d'enthousiastes éloges adressés à un homme que j'admire et que j'aime entre tous, José-Maria Sert. Quel plaisir et quelle sincérité animent les pages où Blanche le compare à Michel-Ange, à Tintoret. Chose étrange, j'aurais pu vivre dans un autre temps que Sert, ou dans le même temps et ne le connaître pas. Mais nous nous connaissons. Il sait mon admiration pour lui, il ne m'a pas caché sa sympathie pour moi. Or, chaque fois que part sous bonne escorte une des magnifiques beautés captives qui, regrettant peut-être, dans leur exil prédestiné, la rue Barbet-de-Jouy, iront vivre leur vie séquestrée dans un palais ou une église d'Espagne, ou même s'envoleront sur la mer comme les Océanides, moi enchaîné à mon rocher, *jamais* je ne peux voir avant leur départ les nobles bannies. Il y a dans la vie d'autres incompatibilités que celles du temps et de l'espace ; le mauvais Destin revêt les formes les plus étranges, encore à décrire pour les romanciers.

Dirai-je que dans ce livre de minutieuse vérité originale, créée, qui n'appartient qu'à Blanche même, il ne trahit pas, jusque dans son impartialité même, des préférences qu'on peut ne pas adopter ? Ce ne serait pas vrai. Certes si le vénérable docteur Blanche revenait au monde, il aurait une joie où il entrerait un peu d'étonnement à entendre parler de son « Jacques » comme d'un peintre plus grand que les académiciens de son temps. Car au fond, comme tous les parents, même les plus intelligents, il devait dire de son fils l'équivalent de ce que disait du sien Mme Manet mère : « Il a pourtant copié la *Vierge au lapin,* de Tintoret, vous viendrez voir cela chez moi, c'est bien copié, il pourrait peindre autrement qu'il ne fait. Seulement, que voulez-vous ! il a un tel entourage ! » Mais la surprise du docteur Blanche serait plus grande encore de voir comme au fond son fils Jacques-Emile lui ressemble et le continue. C'est le tragique touchant des oppositions familiales que ce sont justement des qualités, des goûts analogues à ceux de nos parents, qui pour se découvrir, pour s'affirmer, entrent en lutte avec les leurs. De vieux oncles qui décident de donner un conseil judiciaire à leur neveu ont précisément fait les mêmes bêtises et de la même manière, mais s'imaginent que « ce n'était pas la même chose », de même que ceux qui luttèrent pour Delacroix, s'indignèrent ensuite contre Manet, contre les impressionnistes, contre les cubistes, se figurant eux aussi que « ce n'était pas la même chose. » Or, dans deux des plus beaux morceaux de ce recueil, celui sur la vente Rouart et celui sur Cézanne, on se rend compte que Jacques Blanche était exactement le contraire de ce qu'il paraissait vers 1891. Il pousse le traditionalisme jusqu'à ne pas cacher son indulgence, au fond sa sympathie, pour l'appartement où M. Rouart avait accumulé les chefs-d'œuvre :

« Ces appartements si marqués de la touche du Second Empire, décelant un complet mépris de l'arrangement décoratif comme on le recherche maintenant... j'y menai un jour Fritz Thaulow. Il se croyait à l'avant-garde du goût du moderne. Entre Munich, Berlin et Copenhague, il s'était fait une conception de l'ameublement dont le salon d'automne de 1912 révéla les touchantes audaces. Il ne connaissait de la peinture que les œuvres exposées au Salon. Les rapports étaient donc embarrassants avec lui, dès qu'on souhaitait plus que de jouir paisiblement de son exquise cordialité. "Blanche ? vous n'aimeriez pas vivre dans cette maison ! Comment ! vous dites que M. Rouart est un homme de goût ? Mais regardez ces meubles, ces tentures, comme chez un dentiste... les murs sont *prune,* les étoffes sont chocolat, et ces lampadaires dorés. Non, Blanche, cela c'est de la province et du Louis-Philippe." La copie par Degas de l'*Enlèvement des Sabines* et le *Poète* de Delacroix firent déborder son amertume : "Si c'est cela de la peinture, je puis bien me pendre. Tout cela est *prune* !" »

Au fond comme on sent que Jacques Blanche préfère cette peinture-là, à la facture *crayeuse* des impressionnistes. Chez Manet, ce n'est pas le côté Monet, déjà démodé *selon lui* (mon goût personnel, si je m'y connaissais en peinture, me porterait à penser exactement le contraire, et j'ai vu chez Gaston Gallimard un Monet que je trouve le plus beau des Manet), c'est le côté Goya qu'il aime et par qui Manet est rajeuni, « comme Musset par Shakespeare ». Blanche déteste autant les théories littéraires des esthètes que leur goût décoratif. « M. Charles Morice, dans un questionnaire proposé à mes confrères, demandait ce que Fantin a apporté, ce qu'il emporte dans la tombe. Cette question parut un peu déconcertante. Elle ne pouvait venir que d'un homme de lettres, pour qui les opérations intellectuelles du peintre restent toujours assez impénétrables. La nouveauté, l'invention, en peinture, se décèlent souvent en un simple rapport de ton, en deux *valeurs* juxtaposées ou même en une certaine manière de délayer la couleur, de l'étendre sur la toile. Qui n'est pas sensible à la technique, n'est pas né pour les arts plastiques, et telle intelligence très déliée passera à côté d'un peintre pur sans s'en douter. »

Aussi semblerait-il d'abord que Jacques Blanche dût adhérer à cette maxime de Maurice Denis (de Maurice Denis pour lequel je serais tenté de dire que — comme aussi pour Vuillard — il n'est pas tout à fait juste) : « Se rappeler qu'un tableau, avant d'être un cheval de bataille, une femme nue ou une quelconque anecdote, est essentiellement une surface plane recouverte de couleurs en un certain ordre assemblées. » Si, au contraire, Jacques Blanche proteste contre elle, c'est par excès de traditionalisme français. Et pour le montrer, nous voulons finir en citant quelques lignes des pages magnifiques qu'il écrit, à cette occasion, pour glorifier les vieux maîtres de notre pays : « Protestons contre la part infime qui reste dans les théories de M. Denis à la sensibilité, à l'émotion qui est tout de même le plus précieux de l'intelligence, à cette faculté de nous toucher qu'eurent Delacroix, Millet, Corot, ces colosses de l'histoire du XIXe siècle. La charge à fond contre le réalisme et la copie de la nature, si chère aux néo-impressionnistes, aboutirait à des formules où la raison seule interviendrait, au détriment du sentiment humain, de la sensibilité, à un art strictement ornemental et décoratif, à peine différent de celui des Persans et des Chinois. Ce serait la fin du tableau comme l'ont conçu les hommes de notre race. Fritz Thaulow n'avait pas assez de sarcasmes pour certaine fabrique de Corot, sous un divin ciel bleu d'août qui éclaire d'un éternel rayon le cabinet où j'écris ces lignes... Il consiste en un ciel aussi lumineux, aussi transparent qu'un Fra Angelico, il est fait d'on ne sait quelle matière précieuse, de turquoise peut-être. Sous cet azur immaculé, un peu de lumière inanalysable change en un écrin de plusieurs ors les pignons et les toits d'une sorte de caserne banale ; quelques personnages sont assis ou se promènent sur la place provinciale où s'étendent de longues ombres limpides. Je juge les soi-disant connaisseurs à leur attitude en présence de mon Corot. Les Hollandais seuls et les Français du temps des frères Rouart ont fait vibrer cette corde-là. C'est une musique à la française, claire, mélodique, mais si discrète, si intime qu'elle risque de ne pas se faire remarquer. Aussi bien c'est cette "musique de chambre" qui sonnait si juste dans l'hôtel de la rue de Lisbonne. »

Il me semble que de telles pages, dont je ne donne ici que des extraits, mais que le lecteur trouvera intégralement dans ce volume, ne font pas seulement admirer Jacques Blanche comme écrivain, autant qu'on a fini par l'admirer comme peintre, mais le feront aussi aimer. Ainsi par exemple la fin du morceau sur Millet, qui sera aussi celle de cette préface : « Pour le Français de l'Ouest, jouissant du bienfait de la vie aux champs, il n'est pas une minute de la journée, un moment de chaque saison, un geste ni une figure de Normand, il n'est pas un arbre, une haie, un instrument aratoire qui ne s'embellissent de la sainte onction et de la noble grandeur que J.-F. Millet leur a départies... Tant que nos semblables auront un cœur pour s'émouvoir des inquiétudes du paysan, de son labeur sur la terre exigeante, sous le ciel menaçant ; tant que l'aube, midi, le crépuscule du soir auront un sens pathétique, comment pourrait-on contester l'œuvre de Millet, touchante comme sa vie, synthèse — plus que de ses modèles, si près eux aussi de la nature — de la nature elle-même ? »

A propos
du « style » de Flaubert
(1920)

La Nouvelle Revue française, 1er janvier 1920, en réponse à l'article d'Albert Thibaudet repris plus bas, p. 151. Thibaudet répondra à son tour dans l'article repris p. 169.

Je lis seulement à l'instant (ce qui m'empêche d'entreprendre une étude approfondie) l'article du distingué critique de *La Nouvelle Revue française* sur « le Style de Flaubert ». J'ai été stupéfait, je l'avoue, de voir traiter de peu doué pour écrire, un homme qui par l'usage entièrement nouveau et personnel qu'il a fait du passé défini, du passé indéfini, du participe présent, de certains pronoms et de certaines prépositions, a renouvelé presque autant notre vision des choses que Kant, avec ses Catégories, les théories de la Connaissance et de la Réalité du monde extérieur*. Ce n'est pas que j'aime entre

---

* Je sais bien que Descartes avait commencé avec son « bon sens » qui n'est pas autre chose que les principes rationnels. On apprenait cela autrefois en classe. Comment M. Reinach qui, différent au moins en cela des Émigrés, a tout appris et n'a rien oublié, ne le sait-il pas et peut-il croire que Descartes a fait preuve d'une « ironie déli-

tous les livres de Flaubert, ni même le style de Flaubert. Pour des raisons qui seraient trop longues à développer ici, je crois que la métaphore seule peut donner une sorte d'éternité au style, et il n'y a peut-être pas dans tout Flaubert une seule belle métaphore. Bien plus, ses images sont généralement si faibles qu'elles ne s'élèvent guère au-dessus de celles que pourraient trouver ses personnages les plus insignifiants. Sans doute quand, dans une scène sublime, Mme Arnoux et Frédéric échangent des phrases telles que : « Quelquefois vos paroles me reviennent comme un écho lointain, comme le son d'une cloche apporté par le vent. — J'avais toujours au fond de moi-même la musique de votre voix et la splendeur de vos yeux », sans doute c'est un peu *trop bien* pour une conversation entre Frédéric et Mme Arnoux. Mais, Flaubert, si au lieu de ses personnages c'était lui qui avait parlé, n'aurait pas trouvé beaucoup mieux. Pour exprimer d'une façon qu'il croit

cieuse », en disant que le bon sens est la chose du monde la mieux partagée ? Cela signifie dans Descartes que l'homme le plus bête use malgré soi du principe de causalité, etc. Mais le XVIIe siècle français avait une manière très simple de dire les choses profondes. Quand j'essaye dans mes romans de me mettre à son école, des philosophes me reprochent d'employer dans le sens courant le mot « intelligence », etc.

évidemment ravissante, dans la plus parfaite de ses œuvres, le silence qui régnait dans le château de Julien, il dit que « l'on entendait le frôlement d'une écharpe ou l'écho d'un soupir ». Et à la fin, quand celui que porte saint Julien devient le Christ, cette minute ineffable est décrite à peu près ainsi : « Ses yeux prirent une clarté d'étoiles, ses cheveux s'allongèrent comme les rais du soleil, le souffle de ses narines avait la douceur des roses, » etc. Il n'y a là-dedans rien de mauvais, aucune chose disparate, choquante ou ridicule comme dans une description de Balzac ou de Renan ; seulement il semble que, même sans le secours de Flaubert un simple Frédéric Moreau aurait presque pu trouver cela. Mais enfin la métaphore n'est pas tout le style. Et il n'est pas possible à quiconque est un jour monté sur ce grand *Trottoir roulant* que sont les pages de Flaubert, au défilement continu, monotone, morne, indéfini, de méconnaître qu'elles sont sans précédent dans la littérature. Laissons de côté, je ne dis même pas les simples inadvertances, mais la correction grammaticale ; c'est une qualité utile mais négative (un bon élève, chargé de relire les épreuves de Flaubert, eût été capable d'en effacer bien des fautes). En tous cas il y a une beauté grammaticale, (comme il y a une beauté morale, dramatique, etc.) qui n'a rien à voir avec la correction. C'est d'une beauté de ce genre que Flaubert devait accoucher laborieusement. Sans doute cette beauté pouvait tenir parfois à la manière d'appliquer certaines règles de syntaxe. Et Flaubert était ravi quand il retrouvait dans les écrivains du passé une anticipation de Flaubert, dans Montesquieu, par exemple : « Les vices d'Alexandre étaient extrêmes comme ses vertus ; il était terrible dans la colère ; elle le rendait cruel. » Mais si Flaubert faisait ses délices de telles phrases, ce n'était évidemment pas à cause de leur correction, mais parce qu'en permettant de faire jaillir du cœur d'une proposition l'arceau qui ne retombera qu'en plein milieu de la proposition suivante, elles assuraient l'étroite, l'hermétique continuité du style. Pour arriver à ce même but Flaubert se sert souvent des règles qui régissent l'emploi du pronom personnel. Mais dès qu'il n'a pas ce but à atteindre les mêmes règles lui deviennent complètement indifférentes. Ainsi dans la deuxième ou troisième page de *L'Education sentimentale,* Flaubert emploie « il » pour désigner Frédéric Moreau quand ce pronom devrait s'appliquer à l'oncle de Frédéric, et quand il devrait s'appliquer à Frédéric pour désigner Arnoux. Plus loin le « ils » qui se rapporte à des chapeaux veut dire des personnes, etc. Ces fautes perpétuelles sont presque aussi fréquentes chez Saint-Simon. Mais dans cette deuxième page de l'*Edu-*

cation, s'il s'agit de relier deux paragraphes pour qu'une vision ne soit pas interrompue, alors le pronom personnel, à renversement pour ainsi dire, est employé avec une rigueur grammaticale, parce que la liaison des parties du tableau, le rythme régulier particulier à Flaubert, sont en jeu : « La colline qui suivait à droite le cours de la Seine s'abaissa, et il en surgit une autre, plus proche, sur la rive opposée.

Des arbres la couronnaient », etc.

Le rendu de sa vision, sans, dans l'intervalle, un mot d'esprit ou un trait de sensibilité, voilà en effet ce qui importe de plus en plus à Flaubert au fur et à mesure qu'il dégage mieux sa personnalité et devient Flaubert. Dans *Madame Bovary* tout ce qui n'est pas lui n'a pas encore été éliminé ; les derniers mots : « Il vient de recevoir la croix d'honneur » font penser à la fin du *Gendre de M. Poirier :* « Pair de France en 48 ». Et même dans *L'Education sentimentale* (titre si beau par sa solidité, — titre qui conviendrait d'ailleurs aussi bien à *Madame Bovary* — mais qui n'est guère correct au point de vue grammatical) se glissent encore çà et là des restes, infimes d'ailleurs, de ce qui n'est pas Flaubert (« sa pauvre petite gorge »), etc. Malgré cela, dans *L'Education sentimentale,* la révolution est accomplie ; ce qui jusqu'à Flaubert était action devient impression. Les choses ont autant de vie que les hommes, car c'est le raisonnement qui après [coup] assigne à tout phénomène visuel des causes extérieures, mais dans l'impression première que nous recevons cette cause n'est pas impliquée. Je reprends dans la deuxième page de *L'Education sentimentale* la phrase dont je parlais tout à l'heure : « La colline qui suivait à droite le cours de la Seine s'abaissa, et il en surgit une autre, plus proche, sur la rive opposée. » Jacques Blanche a dit que dans l'histoire de la peinture, une invention, une nouveauté, se décèlent souvent en un simple rapport de ton, en deux couleurs juxtaposées. Le subjectivisme de Flaubert s'exprime par un emploi nouveau des temps des verbes, des prépositions, des adverbes, les deux derniers n'ayant presque jamais dans sa phrase qu'une valeur rythmique. Un état qui se prolonge est indiqué par l'imparfait. Toute cette deuxième page de l'*Education* (page prise absolument au hasard) est faite d'imparfaits, sauf quand intervient un changement, une action, une action dont les protagonistes sont généralement des choses (« la colline s'abaissa », etc.). Aussitôt l'imparfait reprend : « Plus d'un enviait d'en être le propriétaire », etc. Mais souvent le passage de l'imparfait au parfait est indiqué par un participe présent, qui indique la manière dont l'action se produit, ou bien le moment où elle se produit. Toujours deuxième page de l'*Education* : « Il contemplait des clochers, etc. et bientôt, *Paris disparaissant,* il poussa un gros soupir » (l'exemple est du reste très mal choisi et on en trouverait dans Flaubert de bien plus significatifs). Notons en passant que cette activité des choses, des bêtes, puisqu'elles sont le sujet des phrases (au lieu que ce sujet soit des hommes), oblige à une grande variété de verbes. Je prends absolument au hasard et en abrégeant beaucoup : « Les hyènes marchaient derrière lui, le taureau balançait la tête, tandis que la panthère, bombant son dos, avançait à pas de velours, etc. Le serpent sifflait, les bêtes puantes bavaient, le sanglier, etc. Pour l'attaque du sanglier il y avait quarante griffons, etc. Des mâtins de Barbarie... étaient destinés à poursuivre les aurochs. La robe noire des épagneuls luisait comme du satin, le jappement des talbots valait celui des bugles chanteurs », etc. Et cette variété des verbes gagne les hommes qui dans cette vision continue, homogène, ne sont pas plus que les choses, mais pas moins, « une illusion à décrire ». Ainsi : « il aurait voulu courir dans le désert après les autruches, être caché dans les bambous à l'affût des léopards, traverser des forêts pleines de rhinocéros, atteindre au sommet des monts pour viser les aigles et sur les glaçons de la mer combattre les ours blancs. Il se voyait », etc. Cet éternel imparfait (on me permettra bien de qualifier d'éternel un passé indéfini, alors que les trois quarts du temps, chez les journalistes, éternel désigne non pas, et avec raison, un amour, mais un foulard ou un parapluie. Avec son *éternel foulard,* — bien heureux si ce n'est pas avec son *foulard légendaire* — est une expression « consacrée ») ; donc cet éternel imparfait, composé en partie des paroles des personnages que Flaubert rapporte habituellement en style indirect pour qu'elles se confondent avec le reste (« L'Etat devait s'emparer de la Bourse. Bien d'autres mesures étaient bonnes encore. Il fallait d'abord passer le niveau sur la tête des riches. Il fallait que les nourrices et les accoucheuses fussent salariées par l'Etat. Dix mille citoyennes, avec de bons fusils, pouvaient faire trembler l'Hôtel de Ville... », tout cela ne signifie pas que Flaubert pense et affirme cela, mais que Frédéric, la Vatnaz ou Sénécal le disent et que Flaubert a résolu d'user le moins possible des guillemets) ; donc cet imparfait, si nouveau dans la littérature, change entièrement l'aspect des choses et des êtres, comme font une lampe qu'on a déplacée, l'arrivée dans une maison nouvelle, l'ancienne si elle est presque vide et qu'on est en plein déménagement. C'est ce genre de tristesse, fait de la rupture des habitudes et de l'irréalité du décor, que donne le style de Flaubert, ce style si nouveau quand ce ne serait que par là. Cet imparfait sert à rapporter non seulement les paroles mais toute la vie des gens. *L'Education sentimentale* est un long rapport de toute une vie, sans que les personnages prennent pour ainsi dire une part active à l'action. Parfois le parfait interrompt l'imparfait, mais devient alors comme lui quelque chose d'indéfini qui se prolonge : « Il voyagea, il connut la mélancolie des paquebots, etc., il eut d'autres amours encore », et dans ce cas par une sorte de chassé-croisé c'est l'imparfait qui vient préciser un peu : « mais la violence du premier les lui rendait insipides ». Quelquefois même, dans le plan incliné et tout en demi-teinte des imparfaits, le présent de l'indicatif opère un redressement, met un furtif éclairage de plein jour qui distingue des choses qui passent une réalité plus durable : « Ils habitaient le fond de la Bretagne... *C'était* une maison basse, avec un jardin montant jusqu'au haut de la colline, d'où l'on *découvre* la mer*. »

La conjonction « et » n'a nullement dans Flaubert l'objet que la grammaire lui assigne. Elle marque une pause dans une mesure rythmi-

---

* *L'Éducation sentimentale* à laquelle, de par la volonté de Flaubert certainement, on pourrait souvent appliquer cette phrase de la quatrième page du livre lui-même : « Et l'ennui, vaguement répandu, semblait rendre l'aspect des personnages plus insignifiant encore. »

que et divise un tableau. En effet partout où on mettrait « et », Flaubert le supprime. C'est le modèle et la coupe de tant de phrases admirables. « (Et) les Celtes regrettaient trois pierres brutes, sous un ciel pluvieux, dans un golfe rempli d'îlots » (C'est peut-être *semé* au lieu de *rempli,* je cite de mémoire). « C'était à Mégara, faubourg de Carthage, dans les jardins d'Hamilcar. » « Le père et la mère de Julien habitaient un château, au milieu des bois, sur la pente d'une colline. » Certes la variété des prépositions ajoute à la beauté de ces phrases ternaires. Mais dans d'autres d'une coupe différente, jamais de « et ». J'ai déjà cité (pour d'autres raisons) : « Il voyagea, il connut la mélancolie des paquebots, les froids réveils sous la tente, l'étourdissement des paysages et des ruines, l'amertume des sympathies interrompues. » Un autre aurait mis : « et l'amertume des sympathies interrompues ». Mais cet « et » là, le grand rythme de Flaubert ne le comporte pas. En revanche là où personne n'aurait l'idée d'en user, Flaubert l'emploie. C'est comme l'indication qu'une autre partie du tableau commence, que la vague refluante, de nouveau, va se reformer. Tout à fait au hasard d'une mémoire qui a très mal fait ses choix : « La place du Carrousel avait un aspect tranquille. L'Hôtel de Nantes s'y dressait toujours solitairement ; et les maisons par derrière, le dôme du Louvre en face, la longue galerie de bois, à droite, etc., étaient comme noyés dans la couleur grise de l'air, etc. tandis que, à l'autre bout de la place, etc. » En un mot, chez Flaubert, « et » commence toujours une phrase secondaire et ne termine presque jamais une énumération. Notons au passage que le « tandis que » de la phrase que je viens de citer ne marque pas, c'est toujours ainsi chez Flaubert, un temps, mais est un de ces artifices assez naïfs qu'emploient tous les grands descriptifs dont la phrase serait trop longue et qui ne veulent pas cependant séparer les parties du tableau. Dans Leconte de Lisle il y aurait à marquer le rôle similaire des « non loin », des « plus loin », des « au fond », des « plus bas », des « seuls », etc. La très lente acquisition, je le veux bien, de tant de particularités grammaticales (et la place me manque pour indiquer les plus importantes que tout le monde notera sans moi) prouve à mon avis, non pas, comme le prétend le critique de *La Nouvelle Revue française,* que Flaubert n'est pas « un écrivain de race », mais au contraire qu'il en est un. Ces singularités grammaticales traduisant en effet une vision nouvelle, que d'application ne fallait-il pas pour bien fixer cette vision, pour la faire passer de l'inconscient dans le conscient, pour l'incorporer enfin aux diverses parties du discours ! Ce qui étonne seulement chez un tel maître, c'est la médiocrité de sa correspondance. Généralement les grands écrivains qui ne savent pas écrire (comme les grands peintres qui ne savent pas dessiner) n'ont fait en réalité que renoncer leur « virtuosité », leur « facilité » innées, afin de créer, pour une vision nouvelle, des expressions qui tâchent peu à peu de s'adapter à elle. Or dans la correspondance où l'obéissance absolue à l'idéal intérieur, obscur, ne les soumet plus, ils redeviennent ce que, moins grands, ils n'auraient cessé d'être. Que de femmes, déplorant les œuvres d'un écrivain de leurs amis, ajoutent : « Et si vous saviez quels ravissants billets il écrit quand il se laisse aller ! Ses lettres sont infiniment supérieures à ses livres. » En effet c'est un jeu d'enfant de montrer de l'éloquence, du brillant, de l'esprit, de la décision dans le trait, pour qui d'habitude manque de tout cela seulement parce qu'il doit se modeler sur une réalité tyrannique à laquelle il ne lui est pas permis de changer quoi que ce soit. Cette hausse brusque et apparente que subit le talent d'un écrivain dès qu'il improvise (ou d'un peintre qui « dessine comme Ingres » sur l'album d'une dame laquelle ne comprend pas ses tableaux), cette hausse devrait être sensible dans la correspondance de Flaubert. Or c'est plutôt une baisse qu'on enregistre. Cette anomalie se complique de ceci que tout grand artiste qui volontairement laisse la réalité s'épanouir dans ses livres se prive de laisser paraître en eux une intelligence, un jugement critique qu'il tient pour inférieurs à son génie. Mais tout cela qui n'est pas dans son œuvre, déborde dans sa conversation, dans ses lettres. Celles de Flaubert n'en font rien paraître. Il nous est impossible d'y reconnaître, avec M. Thibaudet, les « idées d'un cerveau de premier ordre », et cette fois ce n'est pas par l'article de M. Thibaudet, c'est par la correspondance de Flaubert que nous sommes déconcertés. Mais enfin puisque nous sommes avertis du génie de Flaubert seulement par la beauté de son style et les singularités immuables d'une syntaxe déformante, notons encore une de ces singularités : par exemple, un adverbe finissant non seulement une phrase, une période, mais un livre. (Dernière phrase d'*Hérodias* : « Comme elle était très lourde (la tête de saint Jean), ils la portaient alternativement. ») Chez lui comme chez Leconte de Lisle, on sent le besoin de la solidité, fût-elle un peu massive, par réaction contre une littérature sinon creuse, du moins très légère, dans laquelle trop d'interstices, de vides, s'insinuaient. D'ailleurs les adverbes, locutions adverbiales, etc. sont toujours placés dans Flaubert de la façon à la fois la plus laide, la plus inattendue, la plus lourde, comme pour maçonner ces phrases compactes, boucher les moindres trous. M. Homais dit : « Vos chevaux, *peut-être,* sont fougueux. » Hussonnet : « Il serait temps, *peut-être,* d'aller instruire les populations. » « Paris, bientôt [aurait] été. » Les « après tout », les « cependant », les « pourtant », les « du moins » sont toujours placés ailleurs qu'où ils l'eussent été par quelqu'un d'autre que Flaubert, en parlant ou en écrivant. « Une lampe en forme de colombe brûlait dessus *continuellement.* » Pour la même raison, Flaubert ne craint pas la lourdeur de certains verbes, de certaines expressions un peu vulgaires (en contraste avec la variété de verbes que nous citions plus haut, le verbe avoir, si solide, est employé constamment, là où un écrivain de second ordre chercherait des nuances plus fines : « Les maisons avaient des jardins en pente. » « Les quatre tours avaient des toits pointus. ») C'est le fait de tous les grands inventeurs en art, au moins au XIXe siècle, que tandis que des esthètes montraient leur filiation avec le passé, le public les trouva vulgaires. On dira tant qu'on voudra que Manet, Renoir, qu'on enterre demain, Flaubert, furent non pas des initiateurs, mais la dernière descendance de Vélasquez et de Goya, de Boucher et de Fragonard, voire de Rubens et même de la Grèce antique, de Bossuet et de Voltaire, leurs contemporains les trouvèrent un peu communs ;

et, malgré tout, nous nous doutons parfois un peu de ce qu'ils entendaient par ce mot « commun ». Quand Flaubert dit : « Une telle confusion d'images l'étourdissait, bien qu'il y trouvât du charme, *pourtant* », quand Frédéric Moreau, qu'il soit avec la Maréchale ou avec Madame Arnoux, « se met à leur dire des tendresses », nous ne pouvons penser que ce « pourtant » ait de la grâce, ni ce « se mettre à dire des tendresses » de la distinction. Mais nous les aimons ces lourds matériaux que la phrase de Flaubert soulève et laisse retomber avec le bruit intermittent d'un excavateur. Car si, comme on l'a écrit, la lampe nocturne de Flaubert faisait aux mariniers l'effet d'un phare, on peut dire aussi que les phrases lancées par son « gueuloir » avaient le rythme régulier de ces machines qui servent à faire les déblais. Heureux ceux qui sentent ce rythme obsesseur ; mais ceux qui ne peuvent s'en débarrasser, qui, quelque sujet qu'ils traitent, soumis aux coupes du maître, font invariablement « du Flaubert », ressemblent à ces malheureux des légendes allemandes qui sont condamnés à vivre pour toujours attachés au battant d'une cloche. Aussi, pour ce qui concerne l'intoxication flaubertienne, je ne saurais trop recommander aux écrivains la vertu purgative, exorcisante, du pastiche. Quand on vient de finir un livre, non seulement on voudrait continuer à vivre avec ses personnages, avec Mme de Beauséant, avec Frédéric Moreau, mais encore notre voix intérieure qui a été disciplinée pendant toute la durée de la lecture à suivre le rythme d'un Balzac, d'un Flaubert, voudrait continuer à parler comme eux. Il faut la laisser faire un moment, laisser la pédale prolonger le son, c'est-à-dire faire un pastiche volontaire, pour pouvoir après cela, redevenir original, ne pas faire toute sa vie du pastiche involontaire. Le pastiche volontaire c'est de façon toute spontanée qu'on le fait ; on pense bien que quand j'ai écrit jadis un pastiche, détestable d'ailleurs, de Flaubert, je ne m'étais pas demandé si le chant que j'entendais en moi tenait à la répétition des imparfaits ou des participes présents. Sans cela je n'aurais jamais pu le transcrire. C'est un travail inverse que j'ai accompli aujourd'hui en cherchant à noter à la hâte ces quelques particularités du style de Flaubert. Notre esprit n'est jamais satisfait s'il n'a pu donner une claire analyse de ce qu'il avait d'abord inconsciemment produit, ou une recréation vivante de ce qu'il avait d'abord patiemment analysé. Je ne me lasserais pas de faire arquer les mérites, aujourd'hui si contestés, de Flaubert. L'un de ceux qui me touchent le plus parce que j'y retrouve l'aboutissement de modestes recherches que j'ai faites, est qu'il sait donner avec maîtrise l'impression du Temps. A mon avis la chose la plus belle de *L'Education sentimentale,* ce n'est pas une phrase, mais un blanc. Flaubert vient de décrire, de rapporter pendant de longues pages, les actions les plus menues de Frédéric Moreau. Frédéric voit un agent marcher avec son épée sur un insurgé qui tombe mort. « Et Frédéric, béant, reconnut Sénécal ! » Ici un « blanc », un énorme « blanc » et, sans l'ombre d'une transition, soudain la mesure du temps devenant au lieu de quarts d'heure, des années, des décades (je reprends les derniers mots que j'ai cités pour montrer cet extraordinaire changement de vitesse, sans préparation) :

« Et Frédéric, béant, reconnut Sénécal.

« Il voyagea. Il connut la mélancolie des paquebots, les froids réveils sous la tente, etc. Il revint.
« Il fréquenta le monde, etc.
« Vers la fin de l'année 1867 », etc.

Sans doute, dans Balzac, nous avons bien souvent : « En 1817 les Séchard étaient », etc. Mais chez lui ces changements de temps ont un caractère actif ou documentaire. Flaubert le premier, les débarrasse du parasitisme des anecdotes et des scories de l'histoire. Le premier, il les met en musique.

Si j'écris tout cela pour la défense (au sens où Joachim du Bellay l'entend) de Flaubert, que je n'aime pas beaucoup, si je me sens si privé de ne pas écrire sur bien d'autres que je préfère, c'est que j'ai l'impression que nous ne savons plus lire*. M. Daniel Halévy a écrit dernièrement dans les *Débats* un très bel article sur le centenaire de Sainte-Beuve. Mais, à mon avis bien mal inspiré ce jour-là, n'a-t-il pas eu l'idée de citer Sainte-Beuve comme un des grands guides que nous avons perdus ? (N'ayant ni livres, ni journaux sous la main au moment où j'improvise en « dernière heure » mon étude, je ne réponds pas de l'expression exacte qu'a employée Halévy, mais c'était le sens). Or je me suis permis plus qu'aucun de véritables débauches avec la délicieuse mauvaise musique qu'est le langage

* Les exceptions se rencontrent quelquefois dans de grands livres systématiques, où on n'attendait pas de critique littéraire. Une nouvelle critique littéraire découle de l'*Hérédo* et du *Monde des images,* ces livres admirables et si grands de conséquence de M. Léon Daudet, comme une nouvelle physique, une nouvelle médecine, de la philosophie cartésienne. Sans doute les vues profondes de M. Léon Daudet sur Molière, sur Hugo, sur Baudelaire, etc., sont plus belles encore si on les rattache par les lois de la gravitation à ces sphères que sont les Images, mais en elles-mêmes et détachées du système elles prouvent la vivacité et la profondeur du goût littéraire.

parlé, perlé, de Sainte-Beuve, mais quelqu'un a-t-il jamais manqué autant que lui à son office de guide ? La plus grande partie de ses *Lundis* sont consacrés à des auteurs de quatrième ordre, et quand il a à parler d'un de tout premier, d'un Flaubert ou d'un Baudelaire, il rachète immédiatement les brefs éloges qu'il leur accorde en laissant entendre qu'il s'agit d'un article de complaisance, l'auteur étant de ses amis personnels. C'est uniquement comme d'amis personnels qu'il parle des Goncourt, qu'on peut goûter plus ou moins, mais qui sont en tous cas infiniment supérieurs aux objets habituels de l'admiration de Sainte-Beuve. Gérard de Nerval qui est assurément un des trois ou quatre plus grands écrivains du XIXe siècle, est dédaigneusement traité de *gentil Nerval,* à propos d'une traduction de Gœthe. Mais qu'il ait écrit des œuvres personnelles semble avoir échappé à Sainte-Beuve. Quant à Stendhal romancier, au Stendhal de *La Chartreuse,* notre « guide » en sourit et il voit là les funestes effets d'une espèce d'entreprise (vouée à l'insuccès) pour ériger Stendhal en romancier, à peu près comme la célébrité de certains peintres semble due à une spéculation de marchands de tableaux. Il est vrai que Balzac, du vivant même de Stendhal, avait salué son génie, mais c'était moyennant une rémunération. Encore l'auteur lui-même trouva-t-il (selon Sainte-

Beuve, interprète inexact d'une lettre que ce n'est pas le lieu de commenter ici) qu'il en avait plus que pour son argent. Bref, je me chargerais, si je n'avais pas des choses moins importantes à faire, de « brosser », comme eût dit M. Cuvillier Fleury, d'après Sainte-Beuve, un « Tableau de la Littérature française au XIXe siècle » à une certaine échelle, et où pas un grand nom ne figurerait, où seraient promus grands écrivains des gens dont tout le monde a oublié qu'ils écrivirent. Sans doute, il est permis de se tromper et la valeur objective de nos jugements artistiques n'a pas grande importance. Flaubert a cruellement méconnu Stendhal, qui lui-même trouvait affreuses les plus belles églises romanes et se moquait de Balzac. Mais l'erreur est plus grave chez Sainte-Beuve, parce qu'il ne cesse de répéter qu'il est facile de porter un jugement juste sur Virgile ou La Bruyère, sur des auteurs depuis longtemps reconnus et classés, mais que le difficile, la fonction propre du critique, ce qui lui vaut vraiment son nom de critique, c'est de mettre à leur rang les auteurs contemporains. Lui-même, il faut l'avouer, ne l'a jamais fait une seule fois, et c'est ce qui suffit pour qu'on lui refuse le titre de guide. Peut-être le même article de M. Halévy — article remarquable d'ailleurs — me permettrait-il, si je l'avais sous les yeux, de montrer que ce n'est pas seulement la prose que nous ne savons plus lire, mais les vers. L'auteur retient deux vers de Sainte-Beuve. L'un est plutôt un vers de M. André Rivoire que de Sainte-Beuve. Le second :

Sorrente m'a rendu mon doux rêve infini

est affreux si on le grasseye et ridicule si on roule les *r*. En général, la répétition voulue d'une voyelle ou d'une consonne peut donner de grands effets (Racine : *Iphigénie, Phèdre*). Il y a une labiale qui répétée six fois dans un vers de Hugo donne cette impression de légèreté aérienne que le poète veut produire :

Les souffles de la nuit flottaient sur Galgala.

Hugo, lui, a su se servir même de la répétition des *r* qui est au contraire peu harmonieuse en français. Il s'en est servi avec bonheur, mais dans des conditions assez différentes. En tous cas, et quoi qu'il en soit des vers, nous ne savons plus lire la prose ; dans l'article sur le style de Flaubert, M. Thibaudet, lecteur si docte et si avisé, cite une phrase de Chateaubriand. Il n'avait que l'embarras du choix. Combien sont nombreuses celles sur quoi il y a à s'extasier ! M. Thibaudet (voulant, il est vrai, montrer que l'usage de l'anacoluthe allège le style) cite une phrase du moins beau Chateaubriand, du Chateaubriand rien qu'éloquent, et sur le peu d'intérêt de laquelle mon distingué confrère aurait pu être averti par le plaisir même que M. Guizot avait à la déclamer. En règle générale, tout ce qui dans Chateaubriand continue ou présage l'éloquence politique du XVIIIe et du XIXe siècle n'est pas du vrai Chateaubriand. Et nous devons mettre quelque scrupule, quelque conscience, dans notre appréciation des diverses œuvres d'un grand écrivain. Quand Musset, année par année, branche par branche, se hausse jusqu'aux *Nuits,* et Molière jusqu'au *Misanthrope,* n'y a-t-il pas quelque cruauté à préférer aux premières :

A Saint Blaise, à la Zuecca
Nous étions, nous étions bien aise,

au second *Les Fourberies de Scapin ?* D'ailleurs nous n'avons qu'à lire les maîtres, Flaubert comme les autres, avec plus de simplicité. Nous serons étonnés de voir comme ils sont toujours vivants, près de nous, nous offrant mille exemples réussis de l'effort que nous avons nous-mêmes manqué. Flaubert choisit Me Senard pour le défendre, il aurait pu invoquer le témoignage éclatant et désintéressé de tous les grands morts. Je puis, pour finir, citer de cette survie protectrice des grands écrivains un exemple qui m'est tout personnel. Dans *Du côté de chez Swann,* certaines personnes, mêmes très lettrées, méconnaissant la composition rigoureuse bien que voilée (et peut-être plus difficilement discernable parce qu'elle était à large ouverture de compas et que le morceau symétrique d'un premier morceau, la cause et l'effet, se trouvaient à un grand intervalle l'un de l'autre) crurent que mon roman était une sorte de recueil de souvenirs, s'enchaînant selon les lois fortuites de l'association des idées. Elles citèrent à l'appui de cette contre-vérité, des pages où quelques miettes de « madeleine », trempées dans une infusion, me rappellent (ou du moins rappellent au narrateur qui dit « je » et qui n'est pas toujours moi) tout un temps de ma vie, oublié dans la première partie de l'ouvrage. Or, sans parler en ce moment de la valeur que je trouve à ces ressouvenirs inconscients sur lesquels j'asseois, dans le dernier volume — non encore publié — de mon œuvre, toute ma théorie de l'art, et pour m'en tenir au point de vue de la composition, j'avais simplement pour passer d'un plan à un autre plan, usé non d'un fait, mais de ce que j'avais trouvé plus pur, plus précieux comme jointure, un phénomène de mémoire. Ouvrez les *Mémoires d'outre-tombe* ou *Les Filles du feu* de Gérard de Nerval. Vous verrez que les deux grands écrivains qu'on se plaît — le second surtout — à appauvrir et à dessécher par une interprétation purement formelle, connurent parfaitement ce procédé de brusque transition. Quand Chateaubriand est — si je me souviens bien — à Montboissier, il entend tout à coup chanter une grive. Et ce chant qu'il écoutait si souvent dans sa jeunesse, le fait tout aussitôt revenir à Combourg, l'incite à changer, et à faire changer le lecteur avec lui, de temps et de province. De même la première partie de *Sylvie* se passe devant une scène et décrit l'amour de Gérard de Nerval pour une comédienne. Tout à coup ses yeux tombent sur une annonce : « Demain les archers de Loisy », etc. Ces mots évoquent un souvenir, ou plutôt deux amours d'enfance : aussitôt le lieu de la nouvelle est déplacé. Ce phénomène de mémoire a servi de transition à Nerval, à ce grand génie dont presque toutes les œuvres pourraient avoir pour titre celui que j'avais donné d'abord à une des miennes : *Les Intermittences du cœur*. Elles avaient un autre caractère chez lui, dira-t-on, dû surtout au fait qu'il était fou. Mais, du point de vue de la critique littéraire, on ne peut proprement appeler folie un état qui laisse subsister la perception juste (bien plus qui aiguise et aiguille le sens de la découverte) des rapports les plus importants entre les images, entre les idées. Cette folie n'est presque

que le moment où les habituelles rêveries de Gérard de Nerval deviennent ineffables. Sa folie est alors comme un prolongement de son œuvre ; il s'en évade bientôt pour recommencer à écrire. Et la folie, aboutissant de l'œuvre précédente, devient point de départ et matière même de l'œuvre qui suit. Le poète n'a pas plus honte de l'accès terminé que nous ne rougissons chaque jour d'avoir dormi, que peut-être, un jour, nous ne serons confus d'avoir passé un instant par la mort. Et il s'essaye à classer et à décrire des rêves alternés. Nous voilà bien loin du style de *Madame Bovary* et de *L'Education sentimentale*. En raison de la hâte avec laquelle j'écris ces pages, le lecteur excusera les fautes du mien.

Pour Paul Morand :
Remarques sur le style
(1920)

Ce texte parut en 1920 en préface à *Tendres Stocks* de Paul Morand.

Les Athéniens sont lents à s'exécuter. On n'a encore livré à notre minotaure Morand que trois jeunes demoiselles ou dames, et le traité en prévoit sept. Mais l'année n'est pas finie. Et beaucoup de postulantes inavouées recherchent le sort glorieux de Clarisse et d'Aurore. J'aurais voulu prendre l'inutile soin de composer, pour les délicieux petits romans qui portent le nom de ces belles, une préface véritable. Un événement subit m'en a empêché. Une étrangère a élu domicile dans mon cerveau. Elle allait, elle venait ; bientôt, d'après tout le train qu'elle menait, je connus ses habitudes. D'ailleurs, comme une locataire trop prévenante, elle tint à engager des rapports directs avec moi. Je fus surpris de voir qu'elle n'était pas belle. J'avais toujours cru que la Mort l'était. Sans cela comment aurait-elle raison de nous ? Quoi qu'il en soit, elle semble aujourd'hui s'être absentée. Pas pour longtemps sans doute, à en juger d'après tout ce qu'elle a laissé. Et il serait plus sage de profiter du répit qu'elle m'accorde, autrement qu'en écrivant une préface pour un auteur déjà connu qui n'en a pas besoin.

Une autre raison aurait dû me détourner. Mon cher maître, Anatole France, que je n'ai pas revu hélas, depuis plus de vingt ans, vient d'écrire dans la *Revue de Paris*, un article où il déclare que toute singularité dans le style doit être rejetée. Or il est certain que le style de Paul Morand est singulier. Si j'avais la joie de revoir M. France dont les bontés pour moi sont encore vivantes sous mes yeux, je lui demanderais comment il peut croire à l'unité du style, puisque les sensibilités sont singulières. Même la beauté du style est le signe infaillible que la pensée s'élève, qu'elle a découvert et noué les rapports nécessaires entre des objets que leur contingence laissait séparés. N'est-ce pas dans *Le Crime de Sylvestre Bonnard* que la double impression de sauvagerie et de douceur que donnent les chats, circule à l'intérieur d'une phrase admirable. « Hamilcar, lui dis-je en allongeant les jambes, prince somnolent de la cité des livres... (je n'ai pas l'ouvrage sous les yeux). Dans cette cité que gardent tes vertus militaires, dors avec la mollesse d'une sultane. Car tu joins à l'aspect formidable d'un guerrier tartare la grâce appesantie des femmes de l'Orient. Héroïque et voluptueux Hamilcar... », etc. Mais M. France ne m'accorderait pas que cette page est admirable, puisque on écrit mal depuis la fin du XVIIIe siècle.

On écrit mal depuis la fin du XVIIIe siècle. En vérité, voilà qui pourrait donner lieu à bien des réflexions. Il n'y a pas de doute que beaucoup d'auteurs ont mal écrit au XIXe siècle. Quand M. France nous demande de lui abandonner Guizot et Thiers (rapprochement qui est un grand déshonneur pour Guizot) nous lui obéissons avec allégresse, et sans attendre l'appel de ces autres noms, de nous-mêmes nous lui jetons tous les Villemain et Cousin qu'il souhaitera. M. Taine, avec sa prose coloriée comme des plans en relief, pour frapper plus vivement les élèves des classes secondaires, pourrait recevoir quelques honneurs mais être banni tout de même. Si pour la juste expression des vérités morales nous conservions M. Renan, ce serait pourtant en confessant qu'il écrit parfois fort mal. Sans parler de ses derniers ouvrages où la couleur détonne d'une façon si constante qu'un effet de comique semble être recherché par l'auteur, ni des tout premiers, semés de points d'exclamation, d'une perpétuelle effusion d'enfant de chœur, les belles *Origines du christianisme* sont la plupart du temps mal écrites. Rarement chez un prosateur de haut mérite, vit-on pareille impuissance à peindre. La description de Jérusalem, la première fois qu'y arrive Jésus est rédigée dans un style de Baedeker : « Les constructions le disputent aux plus achevées de l'Antiquité par leur caractère grandiose, la perfection de l'exécution, la beauté des matériaux. Une foule de superbes tombeaux, d'un goût original... » etc. Pourtant c'était là un « morceau » à « soigner ».particulièrement. Et Renan croyait devoir donner à tous les « morceaux » une pompe terriblement Ary Scheffer, Gounod (nous ajouterions César Franck, s'il n'avait écrit que l'intermède solennel et guindé de *Rédemption*). Pour finir dignement un livre, ou une préface, il a de ces images de bon élève qui ne naissent nullement d'une impression : « Maintenant la barque apostolique va pouvoir enfler ses voiles. » « Quand l'accablante lumière avait fait place à l'innombrable armée des étoiles. » « La mort nous frappa tous les deux de son aile. » Et pourtant dans ces séjours à Jérusalem, quand M. Renan appelle Jésus « jeune démocrate juif », parle des « naïvetés » qui échappent « sans cesse » à ce « provincial » (quelle ressemblance avec Balzac !), on se demande, comme je me suis jadis permis de le faire, tout en reconnaissant le génie de Renan, si la *Vie de Jésus* n'est pas comme une espèce de *Belle Hélène* du christianisme. Mais que M. France n'aille pas triompher trop vite. Pour nos idées sur le style, nous les lui dirons un autre jour. Mais est-il bien certain que le XIXe siècle soit en défaut sur ce chapitre-là ?

Le style de Baudelaire a souvent quelque chose d'extérieur et de percutant, mais s'il ne s'agit que de force, celle-là a-t-elle été jamais égalée ? Sans doute on n'a rien écrit de moins charitable, mais aussi de plus fort que ses vers sur la Charité :

> *Un ange furieux fond du ciel comme un aigle,*
> *Du mécréant saisit à pleins poings les cheveux,*
> *Et dit, le secouant : « Tu connaîtras la règle...*
>
> *Sache qu'il faut aimer, sans faire la grimace,*
> *Le pauvre, le méchant, le tortu, l'hébété,*
> *Pour que tu puisses faire à Jésus, quand il passe,*
> *Un tapis triomphal avec ta charité... »*

ni de plus sublime mais exprimant moins l'essence des âmes dévouées que :

> *...ont dit au Dévouement qui leur prêtait ses ailes :*
> *Hippogriffe puissant, mène-moi jusqu'au ciel !*

D'ailleurs Baudelaire est un grand poète classique et, chose curieuse, ce classicisme de la forme s'accroît en proportion de la licence des peintures. Racine a écrit des vers plus profonds mais non d'un style plus pur que celui des sublimes *Poèmes condamnés*. Dans la pièce qui causa le plus de scandale :

> *Ses bras vaincus, jetés comme de vaines armes,*
> *Tout servait, tout parait sa fragile beauté...*

semblent tirés de *Britannicus*.

Pauvre Baudelaire ! mendiant un article à Sainte-Beuve (avec quelle tendresse, quelle déférence !) il finit par obtenir des éloges tels que ceux-ci : « Ce qui est certain, c'est que M. Baudelaire *gagne à être vu*. Là où on s'attendait à voir entrer un homme étrange, excentrique, on se trouve en présence d'un candidat poli, respectueux, d'un gentil garçon, fin de langage et tout à fait classique dans les formes. » Pour le remercier de sa dédicace aux *Fleurs du mal*, le seul compliment qu'il trouve à lui adresser, c'est que ces pièces, réunies, font un tout autre effet. Il finit par distinguer quelques poèmes qu'il qualifie par des épithètes à double tranchant, « précieux », « subtils », et dont il demande : « Mais pourquoi n'est-ce pas écrit en latin, ou plutôt en grec ? » Bel éloge pour des vers français ! Ces rapports de Baudelaire avec Sainte-Beuve (de Sainte-Beuve dont la stupidité se montre telle qu'on se demande si elle n'est pas une feinte de la couardise) sont une des pages à la fois les plus navrantes et les plus comiques de la littérature française. Je me suis demandé un moment si M. Daniel Halévy ne se moquait pas de moi quand il chercha, dans un superbe article de *La Minerve française*, à m'attendrir sur les phrases papelardes de Sainte-Beuve, disant avec des larmes de crocodile à Baudelaire : « Vous avez dû bien souffrir, mon pauvre enfant. » Comme remerciement, Sainte-Beuve disait à Baudelaire : « J'ai bien envie de vous gronder... vous perlez, vous pétrarquisez sur l'horrible. Et (je cite de mémoire) un jour que nous nous promènerons ensemble au bord de la mer, j'ai bien envie de vous donner un bon croc-en-jambe, afin de vous forcer à nager en plein courant. » Il ne faut pas attacher trop d'importance à l'image elle-même (laquelle doit être mieux d'ailleurs dans le texte), car Sainte-Beuve qui ne connaissait rien à toutes ces choses-là, avait ses images cynégétiques, marines, etc. Il disait : « J'ai envie de prendre l'escopette et d'aller vivement en rase campagne faire le coup de feu du tirailleur. » Il disait d'un livre : « C'est un tableau à l'eau-forte » ; il n'aurait pas été capable de reconnaître une eau-forte. Mais il trouvait que littérairement, cela faisait bien, était mignard, et gracieux. Mais comment M. Daniel Halévy (depuis vingt-cinq ans que je ne l'ai vu, il n'a cessé

de grandir en autorité) peut-il penser sérieusement que ce n'est pas ce malin rafistoleur de
phrases qui « perle et pétrarquise », plutôt que
le grand génie à qui nous devons (ce qui n'a rien
de perlé, et ce qui me semble en « plein courant ») :

Pour l'enfant amoureux de cartes et d'estampes
L'Univers est égal à son vaste appétit.
Comme le monde est grand à la clarté des lampes !
Aux yeux du souvenir que le monde est petit !

Le plus fort de tout, c'est que quand Baudelaire fut poursuivi à cause des *Fleurs du mal*,
Sainte-Beuve ne voulut pas témoigner pour lui,
mais lui adressa une lettre qu'il s'empressa de lui
redemander, dès qu'il sut qu'on avait l'intention
de la rendre publique. En la donnant plus tard
dans les *Causeries du Lundi*, il crut devoir la faire
précéder d'un petit préambule (destiné à l'affai-
blir encore), où il dit que cette lettre fut écrite
« dans la pensée de venir en aide à la défense ».
L'éloge n'était pourtant pas bien compromet-
tant. « Le poète Baudelaire (était-il dit) avait
mis des années à extraire de tout sujet, et de
toute fleur, un suc vénéneux, et même, il faut le
dire, assez agréablement vénéneux. C'était
d'ailleurs un homme d'esprit, assez aimable à ses
heures, très capable d'affection. Lorsqu'il eut

publié ce recueil intitulé *Fleurs du mal*, il n'eut pas seulement affaire à la critique, la justice s'en mêla, comme s'il y avait véritablement danger à ces malices enveloppées et sous-entendues dans des rimes élégantes. » (Ce qui entre parenthèses ne s'accorde pas beaucoup avec « Vous avez dû souffrir, mon cher enfant ».) Au reste, dans ce projet de défense, Sainte-Beuve parle bien d'un illustre poète (« Loin de moi de diminuer rien à la gloire d'un illustre poète, d'un poète cher à tous, que l'Empereur a jugé digne de publiques funérailles »). Malheureusement, ce poète enfin glorifié n'est pas Baudelaire, c'est Béranger. Quand Baudelaire, sur le conseil de Sainte-Beuve, retire sa candidature à l'Académie, le grand critique l'en félicite, et croit le combler de joie en lui disant : « Quand on a lu votre dernière phrase de remerciement, conçue en termes si modestes et si polis, on a dit tout haut : très bien. » Le plus effrayant, ce n'est pas seulement que Sainte-Beuve trouve qu'il a été très gentil pour Baudelaire, mais qu'hélas, dans l'affreux affamement d'encouragement, de la plus sobre justice, où était Baudelaire, le poète partage l'avis du critique, et ne sait littéralement comment lui témoigner sa reconnaissance.

Si passionnante que soit cette histoire du génie qui se méconnaît lui-même, il faut nous en arracher, pour revenir au style. Il n'avait certainement pas pour Stendhal la même importance que pour Baudelaire. Quand Beyle avait dit d'un paysage « ces lieux enchanteurs », « ces lieux ravissants », et d'une de ses héroïnes « cette femme adorable », « cette femme charmante », il ne souhaitait pas plus de précision. Il en manquait jusqu'à dire : « elle lui écrivit une lettre infinie ». Mais si l'on considère comme faisant partie du style cette grande ossature inconsciente que recouvre l'assemblage voulu des idées, elle existe chez Stendhal. Quel plaisir j'aurais à montrer que, chaque fois que Julien Sorel ou Fabrice quittent les vains soucis pour vivre d'une vie désintéressée et voluptueuse, ils se trouvent toujours dans un lieu élevé (que ce soit la prison de Fabrice ou celle de Julien, dans l'observatoire de l'abbé Blanès). Cela est aussi beau que ces personnages salueurs, analogues à de nouveaux Anges, qui, çà et là, dans l'œuvre de Dostoïevski, s'inclinent jusqu'aux pieds de celui qu'ils devinent avoir assassiné.

Par là, Beyle était un grand écrivain sans le savoir. Il plaçait la littérature non seulement au-dessous de la vie, dont elle est au contraire l'aboutissement, mais des plus fades distractions. J'avoue que, si elle était sincère, rien ne me scandaliserait autant que cette phrase de Stendhal : « Quelques personnes survinrent et l'on ne se sépara que fort tard. Le neveu fit venir du café Pedroti un excellent zambajon. Dans le pays où je vais, dis-je à mes amis, je ne trouverai guère de maison comme celle-ci, et pour passer les longues heures du soir, je ferai une nouvelle de votre aimable duchesse Sanseverina. » *La Chartreuse de Parme* écrite faute de maisons où l'on cause agréablement et où l'on serve du zambajon, voilà qui est tout à l'opposé de ce poème ou même de cet alexandrin unique vers lequel tendent, selon Mallarmé, les diverses et vaines activités de la vie universelle.

« On ne sait plus écrire depuis la fin du XVIIIᵉ siècle. » Le contraire ne serait-il pas aussi vrai ? Dans tous les arts, il semble que le talent soit un rapprochement de l'artiste vers l'objet à exprimer. Tant que l'écart subsiste, la tâche n'est pas achevée. Ce violoniste joue très bien sa phrase de violon, mais vous voyez ses effets, vous y applaudissez, c'est un virtuose. Quand tout cela aura fini par disparaître, que la phrase de violon ne fera plus qu'un avec l'artiste entièrement fondu en elle, le miracle se sera produit. Dans les autres siècles, il semble qu'il y ait toujours eu une certaine distance entre l'objet et les plus hauts esprits qui discourent sur lui. Mais chez Flaubert, par exemple, l'intelligence, qui n'était peut-être pas des plus grandes, cherche à se faire trépidation d'un bateau à vapeur, couleur des mousses, îlot dans une baie. Alors arrive un moment où on ne trouve plus l'intelligence (même l'intelligence moyenne de Flaubert), on a devant soi le bateau qui file « rencontrant des trains de bois qui se mettaient à onduler sous le remous des vagues ». Cette ondulation-là, c'est de l'intelligence transformée, qui s'est incorporée à la matière. Elle arrive aussi à pénétrer les bruyères, les hêtres, le silence et la lumière des sous-bois. Cette transformation de l'énergie où le penseur a disparu et qui traîne devant nous les choses, ne serait-ce pas le premier effort de l'écrivain vers le style ?

Mais M. France en disconvient. Quel est votre canon ? nous demande-t-il dans cet article qui inaugure avec tant d'éclat la nouvelle *Revue de Paris* d'André Chaumeix. Et parmi ceux qu'il nous propose, et au regard desquels on écrit mal, il cite les *Lettres aux imaginaires* de Racine. Nous refusons le principe même du « canon », qui signifierait l'indépendance d'un style unique à l'égard d'une pensée multiforme. Mais enfin s'il nous en fallait choisir un, et qui, comme l'entend M. France, ne fût pas un canon lourd, jamais nous ne prendrions les *Lettres aux imaginaires*. Rien de si sec, de si pauvre, de si court. Une forme où l'on enferme si peu de pensée, il n'est pas difficile qu'elle soit légère et gracieuse.

Or celle des *Lettres aux imaginaires* ne l'est pas.
« Je croirai même si vous voulez, que vous n'êtes
pas de Port-Royal comme le dit l'un de vous...
Combien de gens ont lu sa lettre qui *ne l'eussent*
pas regardée si le Port-Royal *ne l'eût* adoptée, si
ces Messieurs ne *l'eussent* distribuée », etc.
« Vous croyez *dire* par exemple quelque chose
de fort agréable quand vous *dites* sur une exclamation que fait M. Chamillard, que son grand *O*
n'est qu'un *o en chiffre... On voit bien que vous
vous efforcez d'être* plaisant ; mais ce n'est pas le
moyen de *l'être.* » Certes ces répétitions n'arrê-
teraient pas l'élan d'une phrase de Saint-Simon,
mais ici, où est l'élan, où la poésie, où même le
style ? Vraiment ces lettres à l'auteur des *Imaginaires* sont presque aussi faibles que la ridicule
correspondance où Racine et Boileau échangent
leurs opinions médicales. Bien peu médicales.
Le snobisme de Boileau (plutôt ce que serait aujourd'hui l'excessive déférence d'un fonction-
naire envers le monde officiel) est tel qu'aux
consultations des médecins il préfère l'avis de
Louis XIV (assez sage pour ne pas le donner). Il
est persuadé qu'un prince qui a réussi à prendre
Luxembourg est « inspiré du ciel » et ne peut
proférer que des « oracles » même en médecine.
(Je suis sûr que dans leur admiration très justi-
fiée pour le Duc d'Orléans, mes maîtres, MM.
Léon Daudet et Charles Maurras, et leur déli-

cieux émule M. Jacques Bainville, n'iraient pas jusqu'à lui demander des consultations médicales à distance.) D'ailleurs, ajoute Boileau, qui ne serait heureux, pour apprendre que le Roi a demandé de ses nouvelles, de « perdre la voix et même la parole ? »

Qu'on ne dise pas que cela tient à une époque, et qu'à celle-là, le style épistolaire était toujours tel. Sans aller bien loin, un certain mercredi de 1673 (autant qu'on croit en décembre), c'est-à-dire juste entre les *Imaginaires* qui sont de 1666 et les *Lettres* de Racine et de Boileau qui sont de 1687, Mme de Sévigné écrit de Marseille : « Je suis charmée de la beauté singulière de cette ville. Hier, le temps fut divin, et l'endroit d'où je découvris la mer, les bastides, les montagnes et la ville est une chose étonnante. La foule des chevaliers qui vinrent hier voir M. de Grignan à son arrivée ; des noms connus, des Saint-Hérem, etc. ; des aventuriers, des épées, des chapeaux du bel air, des gens faits à peindre une idée de guerre, de roman, d'embarquement, d'aventure, de chaînes, de fers, d'esclaves, de servitude, de captivité : moi qui aime les romans, tout cela me ravit. » Certes ce n'est pas là une de ces lettres de Mme de Sévigné comme je les aime. Malgré tout, dans sa composition, son coloris, sa variété, quel tableau pour une « tribune française » du Louvre, ce grand écrivain a su peindre ! Tel qu'il est, en sa magnificence, je le dédie à un homme à la famille duquel Mme de Sévigné (elle ne cesse de le redire) était si fière d'être apparentée par les Grignan, mon ami le marquis de Castellane.

A côté de telles pages la maigre correspondance dont nous parlions compte peu. Celle-ci n'empêche pas certes Boileau d'être un poète excellent, quelquefois délicieux. Et sans doute une hystérique de génie se débattait-elle en Racine, sous le contrôle d'une intelligence supérieure, et simula-t-elle pour lui dans ses tragédies, avec une perfection qui n'a jamais été égalée, les flux et les reflux, le tangage multiple, et malgré cela totalement saisi, de la passion. Mais tous les aveux (retirés aussitôt qu'on les sent mal reçus, réitérés, si l'on craint, contre toute évidence, qu'ils n'aient pas été compris, et aggravés alors jusqu'à une flagrance sans ambages après tant de sinueux détours) qui animent inimitablement telle scène de *Phèdre*, ne peuvent rétroactivement que nous laisser surpris et pas du tout charmés devant les *Lettres aux imaginaires*. S'il nous fallait absolument adopter un canon du genre de celui qu'on peut extraire de ces Lettres, nous aimerions bien mieux, dans un temps où déjà, à en croire M. France, on ne savait plus écrire, la préface (sur ses états de demi-folie) que Gérard de Nerval dédia à Alexandre Dumas : « Ils (ses sonnets) perdraient de leur charme à être expliqués, si la chose était possible ; concédez-moi du moins le mérite de l'expression ; la dernière folie qui me restera probablement, c'est de me croire poète : c'est à la critique de m'en guérir. » Voilà, si l'on prend comme canon les *Imaginaires*, qui est bien écrit, qui est beaucoup mieux écrit. Mais nous ne voulons de « canon » d'aucune sorte. La vérité (et M. France la connaît mieux que personne, car mieux que personne il connaît tout), c'est que de temps en temps, il survient un nouvel écrivain original (appelons-le, si vous le voulez, Jean Giraudoux ou Paul Morand, puisqu'on rapproche toujours, je ne sais pourquoi, Morand de Giraudoux, comme dans la merveilleuse *Nuit à Châteauroux*, Natoire de Falconet, et sans qu'ils aient aucune ressemblance). Ce nouvel écrivain est généralement assez fatigant à lire et difficile à comprendre parce qu'il unit les choses par des rapports nouveaux. On suit bien jusqu'à la première moitié de la phrase, mais là on retombe. Et on sent que c'est seulement parce que le nouvel écrivain est plus agile que nous. Or il advient des écrivains originaux comme des peintres originaux. Quand Renoir commença de peindre, on ne reconnaissait pas les choses qu'il montrait. Il est facile de dire aujourd'hui que c'est un peintre du XVIIIe siècle. Mais on omet, en disant cela, le facteur temps, et qu'il en a fallu beaucoup, même en plein XIXe, pour que Renoir fût reconnu grand artiste. Pour y réussir, le peintre original, l'écrivain original, procèdent à la façon des oculistes. Le traitement — par leur peinture, leur littérature — n'est pas toujours agréable. Quand il est fini, ils nous disent : Maintenant regardez. Et voici que le monde, qui n'a pas été créé une fois, mais l'est aussi souvent que survient un nouvel artiste, nous apparaît — si différent de l'ancien — parfaitement clair. Nous adorons les femmes de Renoir, Morand ou Giraudoux, dans lesquelles, avant le traitement, nous nous refusions à voir des femmes. Et nous avons envie de nous promener dans la forêt qui nous avait semblé, le premier jour, tout, excepté une forêt, et par exemple, une tapisserie de mille nuances où manqueraient justement les nuances des forêts. Tel est l'univers périssable et nouveau que crée l'artiste et qui durera jusqu'à ce qu'un nouveau survienne. A quoi il y aurait beaucoup de choses à ajouter. Mais le lecteur, qui les a déjà devinées, les précisera, mieux que je ne saurais faire, en lisant *Clarisse, Aurore* et *Delphine.*

Le seul reproche que je serais tenté d'adresser à Morand, c'est qu'il a quelquefois des images autres que des images inévitables. Or, tous les à-peu-près d'images ne comptent pas. L'eau (dans des conditions données) bout à 100 degrés. A 98, à 99, le phénomène ne se produit pas. Alors mieux vaut pas d'images. Mettez devant un piano pendant six mois quelqu'un qui ne connaît ni Wagner, ni Beethoven et laissez-le essayer sur les touches toutes les combinaisons de notes que le hasard lui fournira, jamais de ce tapotage ne naîtront le thème du Printemps de la *Walkyrie*, ou la phrase prémendelssohnienne (ou plutôt infiniment surmendelssohnienne) du XVe *quatuor*. C'est le reproche qu'on pouvait faire à Péguy pendant qu'il vivait, d'essayer dix manières de dire une chose, alors qu'il n'y en a qu'une. La gloire de sa mort admirable a tout effacé.

Il semble que ce soit jusqu'ici dans les palaces français et étrangers, construits par des architectes qui ne valent pas Dédale, que notre minotaure Morand ait cherché les détours de sa « vaste retraite », comme dit Phèdre dans la scène à laquelle je faisais allusion tout à l'heure. De là, il guette les jeunes femmes en peignoir, aux manches envolées comme des ailes, et qui ont eu l'imprudence de descendre au Labyrinthe. Je ne connais pas mieux que lui ces palaces et ne lui serais d'aucune utilité « pour en développer l'embarras incertain ». Mais si, avant qu'il devienne ambassadeur et rivalise avec Beyle consul, il veut visiter l'Hôtel de Balbec, alors je lui prêterai le fil fatal :

C'est moi, prince, c'est moi dont l'utile secours
Vous a du labyrinthe enseigné les détours.

A propos
de
Baudelaire
(1921)

Ce texte parut dans *La Nouvelle Revue française,* le 1er juin 1921.

Mon cher Rivière,

Une grave maladie m'empêche malheureusement de vous donner, je ne dis même pas une
étude, mais un simple article sur Baudelaire.
Tenons-nous en faute de mieux à quelques petites remarques. Je le regrette d'autant plus que
je tiens Baudelaire — avec Alfred de Vigny —
pour le plus grand poète du XIXe siècle. Je ne
veux pas dire par là que s'il fallait choisir le plus
beau poème du XIXe siècle, c'est dans Baudelaire qu'on devrait le chercher. Je ne crois pas
que dans toutes *Les Fleurs du mal,* dans ce livre
sublime mais grimaçant, où la pitié ricane, où
la débauche fait le signe de la croix, où le soin
d'enseigner la plus profonde théologie est
confié à Satan, on puisse trouver une pièce
égale à *Booz endormi.* Un âge entier de l'histoire et de la géologie s'y développe avec une

ampleur que rien ne contracte et n'arrête, depuis

La Terre encor mouillée et molle du Déluge

jusqu'à Jésus-Christ :

En bas un roi chantait, en haut mourait un Dieu.

Ce grand poème biblique (comme eût dit Lucien de Rubempré : « Biblique, dit Fifine étonnée ? ») n'a rien de sèchement historique, il est perpétuellement vivifié par la personnalité de Victor Hugo qui s'objective en Booz. Quand le poète dit que les femmes regardaient Booz plus qu'un jeune homme, c'est ou bien pour rappeler de récentes bonnes fortunes, ou pour en provoquer. Il cherche à convaincre les femmes que si elles ont du goût, elles aimeront non un freluquet, mais le vieux barde. Tout cela dit avec la syntaxe la plus libre et la plus noble. Sans parler des vers trop illustres sur les yeux du jeune homme comparés à ceux du vieillard (avec préférence naturellement pour ce dernier), de quelle familiarité Hugo n'use-t-il pas, dans ce couplet même, pour asservir aux lois du vers, celles de la logique :

Le vieillard, qui revient vers sa source première,

Entre aux jours éternels et sort des jours
*   changeants...*

En prose on eût évidemment commencé par dire « sort des jours changeants ». Et il ne craint pas de jeter à la fin du vers où elles s'ennoblissent, des phrases tout à fait triviales :

Laissez tomber exprès des épis, disait-il.

Tout le temps, des impressions personnelles, des moments vécus soutiennent ce grand poème historique. C'est dans une impression ressentie sans aucun doute par Victor Hugo et non dans la Bible, qu'il faut chercher l'origine des vers admirables :

Quand on est jeune on a des matins triomphants,
Le jour sort de la nuit ainsi qu'une victoire.

Les pensées les plus indivisibles sont rendues au degré de fusion nécessaire :

Voilà longtemps que celle avec qui j'ai dormi,
Ô Seigneur, a quitté ma couche pour la vôtre ;
Et nous sommes encor tout mêlés l'un à l'autre,
Elle à demi vivante, et moi mort à demi.

La noblesse de la syntaxe ne fléchit pas même dans les vers les plus simples :

Booz ne savait pas qu'une femme était là
Et Ruth ne savait pas ce que Dieu voulait d'elle*.

Et dans ceux qui suivent, quel art suprême pour donner, en redoublant les *l,* une impression de légèreté fluidique :

Les souffles de la nuit flottaient sur Galgala.

Alfred de Vigny n'a pas procédé autrement : pour insuffler une vie intense dans cet autre épisode biblique, la *Colère de Samson,* c'est lui-même Vigny qu'il a objectivé en Samson, et c'est parce que l'amitié de Madame Dorval pour certaines femmes lui causait de la jalousie qu'il a écrit :

La femme aura Gomorrhe et l'homme aura
                              Sodome.

---

* C'est intentionnellement que je ne fais pas ici allusion aux études d'une drôlerie et d'une ampleur magnifiques que Léon Daudet a publiées récemment avec un succès juste et prodigieux. Ici il n'importe pas que Victor Hugo ne fût pas réellement Booz ; mais qu'il le crût ou cherchât à le faire croire.

Mais l'admirable sérénité d'Hugo qui lui permet de conduire *Booz endormi* jusqu'à l'image pastorale de la fin,

> *Quel Dieu, quel moissonneur de l'éternel été*
> *Avait, en s'en allant, négligemment jeté*
> *Cette faucille d'or dans le champ des étoiles.*

cette sérénité, qui assure le majestueux déroulement du poème, ne vaut pas l'extraordinaire tension de celui d'Alfred de Vigny. Tout aussi bien dans ses poésies calmes Vigny reste mystérieux, la source de ce calme et de son ineffable beauté nous échappe. Victor Hugo fait toujours merveilleusement ce qu'il faut faire ; on ne peut pas souhaiter plus de précision que dans l'image du croissant ; même les mouvements les plus légers de l'air, nous venons de le voir, sont admirablement rendus. Mais là encore la fabrication — la fabrication même de l'impalpable — est visible. Et alors au moment qui devrait être si mystérieux, il n'y a nulle impression de mystère. Comment dire en revanche comment sont faits des vers, mystérieux ceux-là, comme

> *Dans les balancements de ta taille penchée*
> *Et dans ton pur sourire amoureux et souffrant*

ou

Pleurant comme Diane au bord de ses fontaines
Ton amour taciturne et toujours menacé.

(ces quatre vers pris au hasard dans la *Maison du Berger* d'Alfred de Vigny).

Bien des vers du *Balcon* de Baudelaire donnent aussi cette impression de mystère. Mais ce n'est pas cela qui est le plus frappant chez lui. A côté d'un livre comme *Les Fleurs du mal*, comme l'œuvre immense d'Hugo paraît molle, vague, sans accent ! Hugo n'a cessé de parler de la mort, mais avec le détachement d'un gros mangeur, et d'un grand jouisseur. Peut-être hélas ! faut-il contenir la mort prochaine en soi, être menacé d'aphasie comme Baudelaire, pour avoir cette lucidité dans la souffrance véritable, ces accents religieux dans les pièces sataniques :

Il faut que le gibier paye le vieux chasseur...

Avez-vous donc pu croire, hypocrites surpris,
Qu'on se moque du maître et qu'avec lui l'on triche,
Et qu'il soit naturel de recevoir deux prix,
D'aller au Ciel et d'être riche ?

Peut-être faut-il avoir ressenti les mortelles fatigues qui précèdent la mort, pour pouvoir écrire sur elle le vers délicieux que jamais Victor Hugo n'aurait trouvé :

Et qui refait le lit des gens pauvres et nus.

Si celui qui a écrit cela n'avait pas encore éprouvé le mortel besoin qu'on refît son lit, alors c'est une « anticipation » de son inconscient, un pressentiment du destin qui lui dicta un vers pareil. Aussi je ne puis tout à fait m'arrêter à l'opinion de Paul Valéry qui, dans un admirable passage d'*Eupalinos,* fait ainsi parler Socrate (opposant un buste fait délibérément par un artiste à celui qu'a inconsciemment sculpté au cours des âges le travail des mers s'exerçant sur un rocher) : « Les actes éclairés, dit Valéry prenant le nom de Socrate, abrègent le cours de la nature. Et l'on peut dire en toute sécurité qu'un artiste vaut mille siècles, ou cent mille, ou bien plus encore. » Mais moi je répondrai à Valéry : « Ces artistes harmonieux ou réfléchis, s'ils représentent mille siècles par rapport au travail aveugle de la nature, ne constituent pas eux-mêmes, les Voltaire par exemple, un temps indéfini par rapport à quelque malade, un Baudelaire, mieux encore un Dostoïevski, qui en trente ans, entre leurs crises d'épilepsie et autres, créent tout ce dont une lignée de mille artistes seulement bien portants n'auraient pu faire un alinéa. »

Socrate et Valéry nous ont interrompu comme nous citions le vers sur les pauvres. Personne n'a parlé d'eux avec plus de vraie tendresse que Baudelaire, ce « dandy ». Une bonne hygiène antialcoolique ne peut pas approuver l'éloge du vin :

A ton fils je rendrai la force et la vigueur
Et serai pour ce frêle athlète de la vie
L'huile qui raffermit les membres du lutteur.

Le poète pourrait répondre que c'est le vin et non lui qui parle. En tout cas, quel divin poème ! Quel admirable style (« *tombe* et *caveaux* ») ! Quelle cordialité humaine, quel tableau esquissé du vignoble ! Bien souvent le poète retrouve cette veine populaire. On sait les vers sublimes sur les concerts publics :

... ces concerts, riches de cuivre,
Dont les soldats parfois inondent nos jardins
Et qui par ces soirs d'or où l'on se sent revivre
Versent quelque héroïsme au cœur des citadins.

Il semble impossible d'aller au-delà. Et pourtant cette impression, Baudelaire a su la faire monter encore d'un ton, lui donner une signification mystique dans le finale inattendu où l'étrange bonheur des élus clôt une pièce sinistre sur les *Damnés* :

> *Le son de la trompette est si délicieux*
> *Dans ces soirs solennels de célestes vendanges*
> *Qu'il s'infiltre comme une extase dans tous ceux*
> *Dont elle chante les louanges.*

Ici il est permis de penser que chez le poète, aux impressions du badaud parisien qu'il était, se joint le souvenir de l'admirateur passionné de Wagner. Quand même les jeunes musiciens actuels auraient raison (ce que je ne crois pas) en niant le génie de Wagner, des vers pareils prouveraient que l'exactitude objective des jugements qu'un écrivain porte sur telle œuvre appartenant à un autre art que le sien n'a pas d'importance, et que son admiration, même fausse, lui inspire d'utiles rêveries. Pour moi qui admire beaucoup Wagner, je me souviens que dans mon enfance, aux Concerts Lamoureux, l'enthousiasme qu'on devrait réserver aux vrais chefs-d'œuvre comme *Tristan* ou *Les Maîtres chanteurs*, était excité, sans distinction aucune, par des morceaux insipides comme la romance à l'étoile ou la prière d'Elisabeth, du *Tannhäuser*. A supposer que musicalement je ne me trompasse pas (ce qui n'est pas certain) je suis sûr que la bonne part n'était pas la mienne mais celle des collégiens qui autour de moi applaudissaient indéfiniment à tout rompre, criaient leur admiration comme des fous, comme des hommes politiques, et sans doute en rentrant voyaient devant les yeux de leur esprit une nuit d'étoiles que la pauvre romance ne leur aurait pas suggérée si elle avait porté comme nom d'auteur au lieu de celui, alors honoré, de Wagner, le nom décrié de Gounod.

Depuis les choses ont un peu changé. Et la nécessité de n'inscrire sur un menu musical que des œuvres françaises ou alliées, fit sortir de la poussière *Faust* et *Roméo*. En pareille matière le cuisinier n'a qu'à se conformer aux interdictions du médecin nationaliste. On change le nom des entremets comme le nom des rues. Et de grands métaphysiciens purent faire une histoire de la philosophie universelle sans prononcer une seule fois les noms abhorrés de Leibniz, de Kant et de Hegel, sans compter les autres. Cela ne laissait pas de creuser quelques vides, insuffisamment remplis par Victor Cousin.

C'est dans les pièces relativement courtes (la *Pipe* m'en semble le chef-d'œuvre) que Baudelaire est incomparable. Les longs poèmes, même le *Voyage* :

> *Pour l'enfant amoureux de cartes et d'estampes*
> *L'univers est égal à son vaste appétit.*

> *Ah ! que le monde est grand à la clarté des lampes !*
> *Aux yeux du souvenir que le monde est petit !*

(et Jacques Boulenger, de beaucoup le meilleur critique, et bien plus que critique, de sa génération, ose nous dire que la poésie de Baudelaire manque de pensée !) même ce sublime *Voyage* qui débute si bien, se soutiennent ensuite par de la rhétorique. Et comme tant d'autres grandes pièces, comme *Andromaque je pense à vous*, il tourne court, tombe presque à plat.

Le *Voyage* finit par

> *Au fond de l'Inconnu pour trouver du nouveau.*

et *Andromaque* par

> *Aux captifs, aux vaincus, à bien d'autres encor.*

C'est peut-être voulu, ces fins si simples. Il semble malgré tout qu'il y ait là quelque chose d'écourté, un manque de souffle.

Et pourtant nul poète n'eut [mieux] le sens du renouvellement au milieu même d'une poésie. Parfois, c'est un brusque changement de ton. Nous avons déjà cité la pièce satanique *Harpagon qui veillait son père agonisant* finissant par *Le son de la trompette est si délicieux...* Un exemple plus frappant (et que M. Fauré a admirablement traduit dans une de ses mélodies) est le poème qui commence par *Bientôt nous plongerons dans les froides ténèbres* et continue tout d'un coup, sans transition, dans un autre ton, par ces vers qui, même dans le livre, sont tout naturellement chantés :

J'aime de vos longs yeux la lumière verdâtre.

D'autres fois la pièce s'interrompt par une action précise. Au moment où Baudelaire dit : *Mon cœur est un palais...*, brusquement, sans que cela soit dit, le désir le reprend, la femme le force à une nouvelle jouissance, et le poète à la fois enivré par les délices à l'instant offertes et songeant à la fatigue du lendemain, s'écrie :

Un parfum nage autour de votre gorge nue...

Ô Beauté, dur fléau des âmes, tu le veux !
Avec tes yeux de feu, brillants comme des fêtes,
Calcine ces lambeaux qu'ont épargnés les bêtes.

Du reste, certaines pièces longues sont, par exception, conduites jusqu'à la fin sans une défaillance comme les *Petites Vieilles*, dédiées, à cause de cela je pense, à Victor Hugo. Mais cette pièce si belle, entre autres, laisse une impression pénible de cruauté. Bien qu'en principe on puisse comprendre la souffrance et ne pas être bon, je ne crois pas que Baudelaire, exerçant sur ces malheureuses une pitié qui prend des accents d'ironie, se soit montré à leur égard cruel. Il ne voulait pas laisser voir sa pitié, il se contentait d'extraire le *caractère* d'un tel spectacle, de sorte que certaines strophes semblent d'une atroce et méchante beauté :

Ou dansent, sans vouloir danser, pauvres
*   sonnettes...*

Je goûte à votre insu des plaisirs clandestins.

Je suppose surtout que le vers de Baudelaire était tellement fort, tellement vigoureux, tellement beau, que le poète passait la mesure sans le savoir. Il écrivait sur ces malheureuses petites vieilles les vers les plus vigoureux que la langue française ait connus, sans songer plus à adoucir sa parole, pour ne pas flageller les mourantes, que Beethoven dans sa surdité ne comprenait, en écrivant la *Symphonie avec chœurs,* que les notes n'en sont pas toujours écrites pour des gosiers humains, audibles à des oreilles humaines, que cela aura toujours l'air d'être chanté faux. L'étrangeté qui fait pour moi le charme enivrant de ses derniers quatuors, les rend à certaines personnes qui en chérissent pourtant le divin mystère, inécoutables, sans qu'elles grincent des dents, autrement que transposés au piano. C'est à nous de dégager ce que contiennent de douleur ces petites vieilles, *débris d'humanité pour l'éternité mûrs*. Cette douleur, le poète nous en torture, plutôt qu'il ne l'exprime. Pour lui, il laisse une galerie de géniales caricatures de vieilles, comparables aux caricatures de Léonard de Vinci, ou de portraits d'une grandeur sans égale mais sans pitié :

> *Celle-là droite encor, fière et sentant la règle,*
> *Humait avidement ce chant vif et guerrier.*
> *Son œil parfois s'ouvrait comme l'œil d'un vieil*
> *aigle ;*
> *Son front de marbre avait l'air fait pour le laurier.*

Ce poème des *Petites Vieilles* est un de ceux où Baudelaire montre sa connaissance de l'Antiquité. On ne la remarque pas moins dans le *Voyage,* où l'histoire d'Electre est citée comme elle aurait pu l'être par Racine dans une de ses préfaces. Avec la différence que dans les préfaces des classiques, les allusions sont généralement pour se défendre d'un reproche. On ne peut s'empêcher de sourire en voyant toute l'Antiquité témoigner dans la préface de *Phèdre* que Racine n'a pas fait de tragédie « où la vertu soit plus mise en jour que dans celle-ci ; les moindres fautes y sont sévèrement punies. La pensée du crime y est regardée avec autant d'horreur que le crime même ; les faiblesses de l'amour y passent pour de véritables faiblesses, et le vice y est peint partout avec des couleurs qui en font haïr la difformité ». Et Racine, cet habile homme, de regretter aussitôt de n'avoir pas pour juges Aristote et Socrate qui reconnaîtraient que son théâtre est une école où la vertu n'est pas moins bien enseignée que dans les écoles des philosophes. Peut-être Baudelaire est-il plus sincère, dans la pièce liminaire au lecteur : *Hypocrite lecteur, mon semblable, mon frère*. Et, en tenant compte de la différence des temps, rien n'est si baudelairien que *Phèdre,* rien n'est si digne de Racine, voire de Malherbe, que *Les Fleurs du mal.* Faut-il même parler de différence des temps, elle n'a pas empêché Baudelaire d'écrire comme les classiques :

Et c'est encor, Seigneur, le meilleur témoignage
Que nous puissions donner de notre dignité...

Ô Seigneur, donnez-moi la force et le courage...

Ses bras vaincus, jetés comme de vaines armes,
Tout servait, tout parait sa fragile beauté.

On sait que ces derniers vers s'appliquent à une femme qu'une autre femme vient d'épuiser par ses caresses. Mais qu'il s'agisse de peindre Junie devant Néron, Racine parlerait-il autrement ? Si Baudelaire veut s'inspirer d'Horace (encore dans une des pièces entre deux femmes), il le surpasse. Au lieu de *animae dimidium meae* auquel il me semble bien difficile qu'il n'ait pas songé, il écrira *mon tout et ma moitié.* Il faut du reste reconnaître que Victor Hugo, quand il voulait citer l'antique, le faisait avec la toute-puissante liberté, la griffe dominatrice du génie (par exemple dans la pièce admirable qui finit par *ni l'importunité des sinistres oiseaux*, ce qui est à la lettre *importunaeque volucres*).

Je ne parle du classicisme de Baudelaire que selon la vérité pure, avec le scrupule de ne pas fausser, par ingéniosité, ce qu'a voulu le poète. Je trouve au contraire trop ingénieux, et pas dans la vérité baudelairienne, un de mes amis qui prétend que

Sois sage, ô ma Douleur, et tiens-toi plus tranquille.

n'est autre chose que le *Pleurez, pleurez mes yeux et fondez-vous en eau* du *Cid.* Sans compter que je trouverais mieux choisis les vers de l'Infante dans ce même *Cid* sur le *respect de sa naissance,* un tel parallèle me semble tout à fait extérieur. L'exhortation que Baudelaire adresse à sa douleur n'a rien au fond d'une apostrophe cornélienne. C'est le langage retenu, frissonnant, de quelqu'un qui grelotte pour avoir trop pleuré.

Ces sentiments que nous venons de dire, sentiment de la souffrance, de la mort, d'une humble fraternité, font que Baudelaire est, pour le peuple et pour l'au-delà, le poète qui en a le mieux parlé, si Victor Hugo est seulement le poète qui en a le plus parlé. Les majuscules d'Hugo, ses dialogues avec Dieu, tant de tintamarre, ne valent pas ce que le pauvre Baudelaire a trouvé dans l'intimité souffrante de son cœur et de son corps. Au reste, l'inspiration de Baudelaire ne doit rien à celle d'Hugo. Le poète qui aurait pu être imagier d'une cathédrale, ce n'est pas le faux moyen-âgeux Hugo, c'est l'impur dévot, casuiste, agenouillé, grimaçant, maudit qu'est Baudelaire.

Si leurs accents sur la Mort, sur le Peuple, sont si inégaux, si la corde chez Baudelaire est tellement plus serrée et vibrante, je ne peux pas dire que Baudelaire surpasse Hugo dans la peinture de l'amour ; et à

> ... cette gratitude infinie et sublime
> Qui sort de la paupière ainsi qu'un long soupir...

je préfère les vers d'Hugo :

Elle me regarda de ce regard suprême
Qui reste à la beauté quand nous en triomphons...

L'amour, du reste, selon Hugo et selon Baudelaire sont si différents. Baudelaire n'a vraiment puisé chez aucun autre poète les sources de son inspiration. Le monde de Baudelaire est un étrange sectionnement du temps où seuls de rares jours notables apparaissent ; ce qui explique les fréquentes expressions telles que « Si quelque soir », etc. Quant au mobilier baudelairien qui était sans doute celui de son temps, qu'il serve à donner une leçon aux dames élégantes de nos vingt dernières années, lesquelles n'admettaient pas dans « leur hôtel » la moindre faute de goût. Que devant la prétendue pureté de style qu'elles ont pris tant de peine à atteindre, elles songent qu'on a pu être le plus grand et le plus artiste des écrivains, en ne peignant que des lits à « rideaux » refermables (*Pièces condamnées*), des halls pareils à des serres (*Une martyre*), « des lits pleins d'odeurs légères, des divans profonds comme des tombeaux », des étagères avec des fleurs, des lampes qui ne brûlaient pas très longtemps (*Pièces condamnées*), si bien qu'on n'était plus éclairé que par un feu de charbon. Monde baudelairien que vient par moment mouiller et enchanter un souffle parfumé du large, soit par réminiscences (*La Chevelure,* etc.), soit directement, grâce à ces portiques dont il est souvent question chez Baudelaire *ouverts sur des cieux inconnus (La Mort)* ou *que les soleils marins teignaient de mille feux (La Vie antérieure).* Nous disions que l'amour baudelairien diffère profondément de l'amour d'après Hugo. Il a ses particularités, et, dans ce qu'il a d'avoué, cet amour semble chérir chez la femme avant tout les cheveux, les pieds et les genoux :

> *Ô toison moutonnant jusque sur l'encolure...*
> *Cheveux bleus, pavillons de ténèbres tendus.*
> (La Chevelure)

> *Et tes pieds s'endormaient dans mes mains*
> *fraternelles.*
> (Le Balcon)

> *Et depuis tes pieds frais jusqu'à tes noires tresses*
> (j'aurais) *déroulé le trésor des profondes caresses.*

Évidemment entre les pieds et les cheveux, il y a tout le corps. On peut pourtant penser que Baudelaire se serait longtemps arrêté aux genoux quand on voit avec quelle insistance il dit dans *Les Fleurs du mal* :

Ah ! laissez-moi, le front posé sur vos genoux...
(Chants d'automne)

Dit celle dont jadis nous baisions les genoux.
(Le Voyage)

Il n'en reste pas moins que cette façon de dé-
rouler le trésor des profondes caresses est un peu
spéciale. Et il en faut venir à l'amour selon Baudelaire, tout en taisant ce qu'il n'a pas cru devoir
dire, ce qu'il a tout au plus par instants insinué.
Quand parurent *Les Fleurs du mal*, Sainte-
Beuve écrivit naïvement à Baudelaire que ces
pièces réunies faisaient « un tout autre effet ».
Cet effet qui semble favorable au critique des
Lundis, est effrayant et grandiose pour quiconque, comme tous ceux de mon âge, ne connut
Les Fleurs du mal que dans l'édition expurgée.
Certes nous savions bien que Baudelaire avait
écrit des *Femmes damnées* et nous les avions
lues. Mais nous pensions que c'était un ouvrage
non seulement défendu mais différent. Bien
d'autres poètes avaient eu aussi leur petite publication secrète. Qui n'a lu les deux volumes de
Verlaine, d'ailleurs aussi mauvais que les
Femmes damnées sont belles, intitulés *Hommes,
Femmes*. Et au collège les élèves se passent de
main en main des ouvrages de pornographie
pure qu'ils croient d'Alfred de Musset, sans que

j'aie songé depuis à m'informer si l'attribution est exacte. Il en va tout autrement de *Femmes damnées.* Quand on ouvre un Baudelaire conforme à l'édition primitive (par exemple le *Baudelaire* de M. Féli Gautier), ceux qui ne savaient pas sont stupéfaits de voir que les pièces les plus licencieuses, les plus crues, sur les amours entre femmes, se trouvent là, et que dans sa géniale innocence le grand Poète avait donné dans son livre à une pièce comme *Delphine* autant d'importance qu'au *Voyage* lui-même. Ce n'est pas que pour ma part je souscrive d'une façon absolue au jugement que j'ai jadis entendu émettre par M. Anatole France, à savoir que c'était ce que Baudelaire avait écrit de plus beau. Il y en a de sublimes, mais d'autres à côté de cela qui sont rendues irritantes par des vers tels que :

Laisse du vieux Platon se froncer l'œil austère.

André Chénier a dit qu'après trois mille ans Homère était encore jeune. Mais combien plus jeune encore Platon. Quel vers d'élève ignorant — et d'autant plus surprenant que Baudelaire avait une tournure d'esprit philosophique, distinguait volontiers la forme de la matière qui la remplit.

Alors, ô ma beauté, dites à la vermine
Qui vous mangera de baisers
Que j'ai gardé la forme et l'essence divine
De mes amours décomposés.

Ou

Réponds, cadavre impur...
Ton époux court le monde, et ta forme
                                    immortelle...

Et malheureusement à peine a-t-on eu le temps
de noyer sa rancœur dans les vers suivants, les
plus beaux qu'on ait jamais écrits, la forme poé-
tique adoptée par Baudelaire ramènera au bout
de cinq vers *Laisse du vieux Platon se froncer*
l'œil austère. Cette forme donne les plus beaux
effets dans le *Balcon :*

Les soirs illuminés par l'ardeur du charbon

vers auquel je préfère d'ailleurs dans les *Bi-*
joux :

Et la lampe s'étant résignée à mourir,
Comme le foyer seul illuminait la chambre,
Chaque fois qu'il poussait un flamboyant soupir,
Il inondait de sang cette peau couleur d'ambre.

mais dans les pièces condamnées elle est fatigante et inutile. Quand on a dit au premier vers

Pour savoir si la mer est indulgente et bonne,

à quoi bon redire au cinquième

Pour savoir si la mer est indulgente et bonne.

Il n'en est pas moins vrai que ces magnifiques pièces ajoutées aux autres, font, comme écrivait Sainte-Beuve sans savoir si bien dire, un tout autre effet*. Elles reprennent leurs places entre les plus hautes pièces du livre comme ces lames altières de cristal qui s'élèvent majestueusement après les soirs de tempête et qui élargissent de leurs cimes intercalées l'immense tableau de la mer. L'émotion est accrue encore quand on apprend que ces pièces n'étaient pas là seulement au même titre que les autres, mais que pour Baudelaire elles étaient tellement les pièces capitales qu'il voulait d'abord appeler tout le volume non pas *Les Fleurs du mal,* mais *Les Lesbiennes* et que le titre beaucoup plus juste et plus général

* Je n'ose plus parler des procédés de Sainte-Beuve à l'égard de Baudelaire ; j'ai appris en effet que j'avais été devancé par M. Fernand Vandérem lequel dans une remarquable brochure, en discutant d'une façon irréfutable des textes incontestés, a établi l'affreuse vérité.

de *Fleurs du mal*, ce titre que nous ne pouvons plus désintégrer aujourd'hui de l'histoire de la Littérature française, ne fut pas trouvé par Baudelaire mais lui fut fourni par Babou. Il n'est pas seulement meilleur. S'étendant à autre chose qu'aux lesbiennes, il ne les exclut pas puisqu'elles sont essentiellement, selon la conception esthétique et morale de Baudelaire, des *Fleurs du mal*. Comment a-t-il pu s'intéresser si particulièrement aux lesbiennes que d'aller jusqu'à vouloir donner leur nom comme titre à tout son splendide ouvrage ? Quand Vigny, irrité contre la femme, l'a expliquée par les mystères de l'allaitement :

Il rêvera toujours à la chaleur du sein,

par la physiologie particulière à

La femme, enfant malade et douze fois impur,

par sa psychologie :

Toujours ce compagnon dont le cœur n'est pas sûr,

on comprend que dans son amour déçu et jaloux il ait écrit :

La Femme aura Gomorrhe et l'Homme aura Sodome.

Mais du moins c'est en irréconciliables enne-
mis qu'il les pose loin l'un de l'autre :

Et se jetant de loin un regard irrité,
Les deux sexes mourront chacun de son côté.

Il n'en est nullement de même pour Baudelaire :

Car Lesbos entre tous m'a choisi sur la terre
Pour chanter le secret de ses vierges en fleurs
Et je fus dès l'enfance admis au noir mystère...

Cette « liaison » entre Sodome et Gomorrhe
que dans les dernières parties de mon ouvrage
(et non dans la première *Sodome* qui vient de
paraître) j'ai confiée à une brute, Charles Morel
(ce sont du reste les brutes à qui ce rôle est d'habitude départi), il semble que Baudelaire s'y soit
de lui-même « affecté » d'une façon toute privilégiée. Ce rôle, combien il eût été intéressant de
savoir pourquoi Baudelaire l'avait choisi, comment il l'avait rempli. Ce qui est compréhensible
chez Charles Morel reste profondément mystérieux chez l'auteur des *Fleurs du mal.*

*
**

Après ces grands poètes (je n'ai pas eu le
temps de parler du rôle des cités antiques dans
Baudelaire et de la couleur écarlate qu'elles

mettent çà et là dans son œuvre) on ne peut plus, avant le Parnasse et le Symbolisme, desquels nous ne parlerons pas aujourd'hui, citer de véritables génies. Musset est malgré tout un poète de second ordre et ses admirateurs le sentent si bien qu'ils laissent toujours reposer pendant quelques années une partie de son œuvre, quitte à y revenir quand ils sont fatigués de cultiver l'autre. Lassés par le côté déclamatoire des *Nuits* qui sont pourtant ce vers quoi il a tendu, ils font alterner avec elles de petits poèmes :

> *Plus ennuyeuse que Milan*
> *Où, du moins, deux ou trois fois l'an,*
> *Cerrito danse.*

Mais un peu plus loin dans la même pièce, des vers sur Venise où il a laissé son cœur, découragent. On essaye alors des poésies simplement documentaires qui nous montrent ce qu'étaient au temps de Musset les bals de la « season ». Ce bric-à-brac ne suffit pas pour faire un poète (malgré le désopilant enthousiasme avec lequel M. Taine a parlé de la musique, de la couleur, etc., de ces poésies-là). Alors on revient aux *Nuits*, à l'*Espoir en Dieu*, à *Rolla* qui ont eu le temps de se rafraîchir un peu. Seules des pièces délicieuses comme *Namouna*, demeurent vivaces et donnent des fleurs toute l'année.

C'est encore à un bien plus bas échelon qu'est le noble Sully Prudhomme, au profil, au regard à la fois divin et chevalin mais qui n'était pas un bien vigoureux Pégase. Il a des débuts charmants d'élégiaque :

Aux étoiles j'ai dit un soir :
Vous ne me semblez pas heureuses.

Malheureusement cela ne s'arrête pas là, et les deux vers suivants sont quelque chose d'affreux que je ne me rappelle plus bien :

Vos lueurs dans l'infini noir
Ont des tendresses douloureuses.

Puis, à la fin, deux vers charmants. Ailleurs il confesse avec grâce :

Je n'aime pas les maisons neuves
Elles ont l'air indifférent

Hélas, il ajoute aussitôt quelque chose comme ceci :

Les vieilles ont l'air de veuves
Qui se souviennent en pleurant.

Quelquefois les envois au Lecteur sont dignes de ceux de Musset, moins alertes, plus pensifs et plus sensibles, en somme charmants. Tout cela laisse tout de même bien loin de soi le Romantisme et la grande Valmore. Seul (avant le Parnasse et le Symbolisme) un poète continue, bien diminuée, la tradition des Grands Maîtres. C'est Leconte de Lisle. Certes il a utilement réagi contre un langage qui se relâchait. Pourtant, il ne faut pas le croire trop différent de ce qui l'a précédé. Petit jeu ; voici deux vers :

> *La neige tombe en paix sur tes épaules nues.*

et :

> *L'aube au flanc noir des monts marche d'un pied*
> *vermeil.*

Hé bien le premier, très Leconte de Lisle, est d'Alfred de Musset dans *La Coupe et les Lèvres*. Et le second est de Leconte de Lisle dans son plus ravissant poème peut-être, la *Fontaine aux lianes*. Leconte de Lisle a épuré la langue, l'a purgée de toutes les sottes métaphores pour lesquelles il était impitoyable. Mais lui-même a usé (et avec quel bonheur !) de l'*aile du vent*. Ailleurs, c'est le *rire amoureux du vent*, les *gouttes de cristal de la rosée*, la *robe de feu de la terre*, la *coupe du soleil*, la *cendre du soleil*, le *vol de l'illusion*.

Je l'ai vu écoutant d'un regard sarcastique les plus belles pièces de Musset ; or il n'est souvent lui-même qu'un Musset plus rigide mais aussi déclamatoire. Et la ressemblance est quelque-

fois si hallucinante que j'avoue ne pas arriver à
me souvenir si

Tu ne sommeillais pas, calme comme Ophélie

que je suis pourtant persuadé être de Leconte
de Lisle, n'est pas de Musset, tant cela ressemble à un vers de ce dernier. Leconte de Lisle,
sans préjudice des images des autres, avait ses
bizarres façons de dire à lui. Toujours les animaux étaient le chef, le Roi, le Prince de quelque chose, absolument comme Midi est *Roi des
étés.* Il ne disait pas le lion, mais *Voici ton heure
ô Roi du Sennar, ô Chef !,* le tigre, mais le *Seigneur rayé,* la panthère noire mais *la Reine de
Java, la noire chasseresse,* le jaguar, mais le
Chasseur au beau poil, le loup, mais le *Seigneur
du Hartz,* l'albatros, mais le *Roi de l'Espace,* le
requin, mais le *sinistre rôdeur des steppes de la
mer.* Arrêtons-nous parce qu'il y aurait encore
tous les serpents. Plus tard, il est vrai, il a re-
noncé aux métaphores et, comme Flaubert avec
lequel il a tant de rapports, n'a pas voulu que
rien s'interposât entre les mots et l'objet. Dans
le Lévrier de Magnus, il parle du lévrier avec la
parfaite ressemblance qu'aurait eue Flaubert
dans la *Légende de saint Julien l'Hospitalier :*

L'arc vertébral tendu, nœuds par nœuds étagé,
Il a posé sa tête aiguë entre ses pattes.

Et c'est tout le temps aussi bien. Malgré cela nous n'aurions pas cité Leconte de Lisle comme le dernier poète de quelque talent (avant le Parnasse et le Symbolisme) s'il n'y avait chez lui une source délicieuse et nouvelle de poésie, un sentiment de la fraîcheur, apporté sans doute des pays tropicaux où il avait vécu. Je n'ai là-dessus aucun renseignement et je regrette avant de vous écrire, mon cher Rivière, de ne pas avoir été en état d'aller trouver un grand poète dont Leconte de Lisle favorisa paternellement les débuts, Madame Henri de Régnier. Elle eût sans doute çà et là rectifié d'un mot juste une affirmation qui ne l'est peut-être pas. Mais nous n'avons voulu aujourd'hui, n'est-ce pas, qu'essayer de lire ensemble, de mémoire, à haute voix, et en nous fiant à notre seul sens critique. Or si, sans renseignements d'aucune sorte, on laisse seulement revenir d'eux-mêmes dans sa mémoire quelques vers bien choisis de Leconte de Lisle, on est frappé du rôle que, non pas seulement le soleil, mais les soleils, ne cessent d'y jouer. Je ne parle plus de la cendre du soleil qui revient tant de fois, mais des *joyeux soleils des naïves années*, des *stériles soleils qui n'êtes plus que cendres*, de *tant de soleils qui ne reviendront plus*, etc. Sans doute tous ces soleils traînent après eux bien des souvenirs des théogonies antiques. L'horizon est « divin ».

> *La Vie antique est faite inépuisablement*
> *Du tourbillon sans fin des apparences vaines.*

Ces soleils,

> *L'esprit qui les songea les entraîne au néant.*

Cet idéalisme subjectif nous ennuie un peu. Mais on peut le détacher. Il reste la lumière et, ce qui la compense délicieusement, la fraîcheur. Baudelaire se souvenait bien de cette nature tropicale. Même *derrière la muraille immense du brouillard* il faisait évoquer par sa négresse *les cocotiers absents de la superbe Afrique.* Mais cette nature, on dirait qu'il ne l'a vue que du bateau. Leconte de Lisle y a vécu, en a surpris et savouré toutes les heures. Quand il parle des sources, on sent bien que ce n'est pas en rhéteur qu'il emploie les verbes germer, circuler, filtrer ; le simple mot de graviers n'est pas mis par lui au hasard. Quel charme quand il va se réfugier près de la Fontaine aux Lianes, lieu réservé presque à lui seul,

> *Qui dès le premier jour n'a connu que peu d'hôtes.*
> *Le bruit n'y monte pas de la mer sur les côtes,*
> *Ni la rumeur de l'homme : on y peut oublier...*
> *Ce sont des chœurs soudains, des chansons*
> *   infinies.*

Là l'azur est si doux qu'il suffit à sécher les plumes des oiseaux :

L'oiseau tout couvert d'étincelles
Montait sécher son aile...

(dans une des pièces :

                              à la brise plus chaude,
dans l'autre :

                              Au tiède firmament).

A peine une échappée, étincelante et bleue,
Laissait-elle entrevoir, en ce pan du ciel pur,
Vers Rodrigue ou Ceylan le vol des paille-en-queue,
Comme un flocon de neige égaré dans l'azur.

Est-ce que ce n'est pas bien joli, mon cher Rivière ? Et, bien au-dessous de Baudelaire, ne nous devions-nous pas pourtant de rappeler de si charmants vers au lecteur d'aujourd'hui qui en lit de si mauvais ? Les Français depuis quelque temps ont appris à connaître les églises, tout le trésor architectural de notre pays. Il serait bon de ne pas laisser pour cela tomber dans l'oubli ces autres monuments, riches eux aussi de formes et de pensées, qui s'élèvent au-dessus des pages d'un livre.

MARCEL PROUST.

Quand j'écrivis cette lettre à Jacques Rivière, je n'avais pas auprès de mon lit de malade un seul livre. On excusera donc l'inexactitude possible, et facile à rectifier, de certaines citations.

Je ne prétendais que feuilleter ma mémoire et orienter le goût de mes amis. J'ai dit à peine la moitié de ce que je voulais, et par conséquent bien plus du double de ce que je m'étais promis et qui, plus condensé, moins encombré de citations (orné d'autres plus frappantes qui reviennent en ce moment du fond de mon souvenir comme pour se plaindre de ne pas avoir eu leur place), eût été infiniment plus court. Parmi les remarques que j'ai omises, l'une donne raison à M. Halévy qui me reprochait, suivant en cela Sainte-Beuve, de dire adjectif descriptif comme si un verbe ne pouvait tout aussi bien décrire, et du même coup à ceux qui ne comprennent pas que selon moi il n'y ait qu'une seule manière de peindre une chose. En effet dans la *Chevelure* Baudelaire dit :

Un ciel pur où frémit l'éternelle chaleur

et dans le *poème en prose* correspondant :

Où se prélasse l'éternelle chaleur.

Il y a donc deux versions également belles, et de plus les deux fois l'épithète est un verbe. J'ajoute que personne ne m'écrit cela et que c'est mon propre souvenir qui casse le nez, comme dit Molière, à mon raisonnement. Je persiste à croire que l'agréable passage de Sainte-Beuve cité il y a environ un an par M. Halévy, et que je connaissais fort bien, n'a rien de si remarquable. Et que même il n'y a pas lieu de s'extasier sur les vers de Virgile, si justes, que cite l'auteur des *Lundis*. Naturellement, condamné depuis tant d'années à vivre dans une chambre aux volets fermés, qu'éclaire la seule électricité, j'envie les belles promenades du sage de Mantoue. Mais pour lui, qui a passé une partie de sa vie à écrire les *Géorgiques* et les *Bucoliques,* il serait un peu fort qu'il n'eût jamais eu l'idée de regarder le ciel et la disposition des nuages par un temps pluvieux. C'est charmant, mais il n'y a pas de quoi se récrier sur une simple observation. Chateaubriand, lui, avait sur ce même sujet des nuages bien plus que des observations, des impressions, ce qui n'est pas la même chose, et génialement exprimées. Tout ceci ne touche en rien à mon admiration pour Virgile. Le danger d'articles comme celui de Sainte-Beuve, c'est que quand une George Sand ou un Fromentin ont des traits pareils, on ne soit tenté de les trouver « dignes de Virgile », ce qui ne veut rien dire du tout. De même, on dit aujourd'hui d'écrivains qui n'emploient que le vocabulaire de Voltaire : « Il écrit aussi bien que Voltaire. » Non, pour écrire aussi bien que Voltaire, il faudrait commencer par écrire autrement que lui. Un peu de ce malentendu règne dans la renaissance qui s'est faite autour du nom de Moréas. Ce n'est pas le seul. On mène grand bruit autour de Toulet qui vient de mourir ; tous ses amis au reste affirment, je le crois volontiers, que c'était un être délicieux. Et les gentils vers de lui que j'ai entendu citer, souvent fort gracieux, s'élèvent parfois à une véritable éloquence. Mais voilà-t-il pas que notre si distingué collaborateur, M. Allard vient faire de la minceur même de son œuvre une raison pour qu'elle survive à jamais. Avec un si léger bagage, dit-il (à peu près), on se glisse plus aisément jusqu'à la postérité. Avec de pareils arguments, dirai-je à mon tour, il n'y a rien qu'on ne puisse prétendre. La postérité se soucie de la qualité des œuvres, elle ne juge pas sur la quantité. Elle retient les immenses *Noces de Cana* ou les *Mémoires* de Saint-Simon, aussi bien qu'un rondel de Charles d'Orléans, ou un minuscule et divin Ver Meer. Le raisonnement de M. Allard m'a fait, par contraste, penser à une phrase, tout opposée, inexacte, absurde, de Voltaire, une phrase si amusante quoique si fausse que je regrette de ne pas la citer exactement : « Le Dante est assuré de survivre : on le lit peu. »

AUTOUR DE PROUST

Une querelle littéraire
sur le style de Flaubert
(1919)

par
Albert Thibaudet

L'article d'Albert Thibaudet parut dans *La Nouvelle Revue française,* le 1ᵉʳ décembre 1919. Proust y répondra dans « A propos du "style" de Flaubert », repris plus haut p. 61.

Une polémique s'est engagée entre M. Louis de Robert et M. Paul Souday sur une question qui, pour bien des gens, ne paraît pas sujette à discussion : Flaubert savait-il écrire ? M. de Robert a soutenu la négative, sous ce titre même : *Flaubert ne savait pas écrire,* et il a cité à l'appui un chapelet de phrases incorrectes. M. Souday a défendu la plupart de ces phrases, s'est élevé avec sévérité contre le parti-pris de M. de Robert, et a conclu : « Nous n'avons jamais pensé que Flaubert fût le seul écrivain de notre langue, ni même qu'on ne pût à toute force relever chez lui quelques négligences, mais rares et généralement sans gravité... Le danger d'algarades comme celles de M. Louis de Robert est de brouiller les idées. Il est aussi nuisible de voir des fautes où il n'y en a pas que de ne pas en apercevoir où il y en a. Le public en est tout désorienté, et les scrupules des juristes mal informés ne l'égarent

pas moins que les bévues des cacographes. »
M. Souday a sans doute raison en gros ; mais enfin
si les discussions ont l'inconvénient de désorienter
le public, il faut passer là-dessus en considéra-
tion des avantages majeurs qu'elles apportent.
Sous le second Empire, un journal reçut un
avertissement de la Préfecture pour avoir pesé
trop subtilement les mérites d'un engrais agricole, « de pareilles discussions, disait l'arrêté, ne
pouvant que porter le trouble et l'incertitude
dans l'esprit des acheteurs ». Je ne pense pas que
M. Souday tienne à voir de tels archanges veil-
ler, l'épée haute, sur la confiance et l'innocence
du public. Et ici en particulier, si M. de Robert a
posé de nouveau la question avec quelque in-
tempérance, cela n'empêche pas que, non seulement elle ne puisse être posée à bon droit, mais
encore qu'elle ne soit réellement posée par la
critique depuis le temps de Flaubert et que le public n'en doive tirer des lumières : elle a été
peut-être obscurcie par ceux qui ont loué Flaubert des qualités qu'il a voulu avoir plus que de
celles qu'il a eues réellement.

On a porté un peu naïvement au compte de
Flaubert écrivain, au compte de la qualité de son
style, la quantité matérielle de travail incorporée

à son œuvre. Le temps et la peine qu'il employait à écrire une page ont été considérés comme une raison pour que cette page fût parfaite. On lui a su gré de ne pas avoir écrit dans la joie, mais dans les sueurs et la peine. Les formidables brouillons, les Himalayas de papier raturé que sont ses manuscrits ne permettent pas de mettre en doute cet immense effort, ni d'admettre, comme l'insinuait Jules Lemaître, que Flaubert appelait travail tout le temps qu'il passait à bricoler, à bâiller ou à pester dans son cabinet. Mais enfin cela devrait suffire à nous faire admettre que Flaubert n'est pas un grand écrivain de race et que la pleine maîtrise verbale ne lui était pas donnée dans sa nature même. Et cette idée se confirme quand nous lisons ses *Œuvres de Jeunesse* et sa *Correspondance.* Evidemment, elles doivent nous intéresser beaucoup par les renseignements qu'elles nous apportent sur la vie intérieure et la formation des idées de Flaubert, qui sont d'un cerveau de premier ordre et valent la peine d'être étudiées pour elles-mêmes ; mais le style des *Œuvres de Jeunesse,* jusqu'au moment du moins où il se précise et se dégourdit dans la première *Tentation,* est d'une insignifiance absolue, et la *Correspondance,* si elle nous amuse par tant de pages verveuses, fourmille de platitudes qui nous montrent que Flaubert avait besoin de tenir sa plume en bride pour en tirer de bonne prose. Comparez ses lettres à celles de Chateaubriand. On trouve parfois exprimé ce paradoxe que Flaubert est plus grand écrivain dans la première ou plutôt dans la seconde *Tentation* que dans la troisième, dans sa libre *Correspondance* que dans la poussive *Education sentimentale :* il n'y a guère à prendre cette fantaisie au sérieux.

Les grandes œuvres de Flaubert laissent apercevoir souvent dans la trame de leur style une nature verbale un peu courte et indigente, mise en culture et en valeur grâce à cette alliance d'un tempérament de feu et d'une volonté obstinée qu'on retrouve si souvent dans le caractère normand. Il y a tout un sottisier grammatical et littéraire de Flaubert, qu'on peut vraiment relever sans remords, puisque Flaubert lui-même prenait son plaisir à s'en créer un pareil par ses lectures. Le sottisier recueilli par Flaubert, qui a été publié, sollicite dans le sens de la pure bêtise bien des phrases d'écrivains célèbres, que leur contexte, comme il est ordinaire, rendrait acceptables. On l'eût applaudi s'il avait été assez beau joueur pour y joindre les deux phrases de *Madame Bovary* sur la « tête phrénologique peinte en bleu jusqu'au thorax » et sur « les soixante francs en pièces de quarante sous », prix de la jambe du père Rouault, — ni l'un ni l'autre n'étant pendables. Mais les inadvertances de style, telles que la petite collection relevée par Faguet dans son *Flaubert,* sont plus graves. Pour que Flaubert laissât échapper un « grâce sans doute à cette bonne volonté dont il fit preuve, il dut de ne pas redescendre dans la classe inférieure », il fallait bien que son oreille grammaticale et littéraire ne fût pas très sûre. Et l'œuvre, l'influence de Flaubert sont telles que nous sommes, après tout, amenés à nous louer que cette oreille n'ait pas fonctionné sans défaillance. Nous assistons alors au spectacle passionnant de ce que peuvent, pour se créer avec peu de matière un moyen d'expression qui arrivera à être parfait, d'abord la volonté et ensuite la vision en pleine atmosphère d'intelligence d'un monde d'idées vivantes.

La loi éternelle se vérifie toujours et le style épouse chez Flaubert un geste de l'homme. Mécontent de lui, mécontent de la vie, Flaubert pouvait, comme certains romantiques, partir en guerre contre tout. Or, il s'est cantonné dans une occupation, un métier précis pratiqué avec une conscience farouche ; il a, pareil à Taine, son ami, étouffé à force de travail l'absurdité de la vie. Il s'est voulu, s'est cherché une discipline. Et plus haut que le style proprement dit, il a fourni à toute son époque le style général de la discipline littéraire. Il a réalisé l'idée de discipline comme un Chateaubriand réalise l'idée de survie décorative ou un Victor Hugo l'idée de libre épanouissement verbal. A ce point de vue, il est un phénomène unique au XIXe siècle, où l'art apparaît plus que jamais comme le dépôt naturel de la vie. Bien qu'il faille se défier beaucoup des racontars de Maxime du Camp et que le rôle de mentor intelligent et distant qu'il s'attribue auprès de Flaubert témoigne d'une suffisance grotesque, nous avons assez de témoignages de Flaubert lui-même pour admettre qu'en effet il entreprit d'écrire *Madame Bovary* à titre de pensum utile et précisément parce que le sujet lui répugnait. Parce qu'il lui fallait le grand décor romantique, il a voulu vivre à Yonville. Parce que la vie réelle chez le bourgeois lui était insupportable, il a voulu vivre chez eux sa vie littéraire. Parce que les bourgeois le dégoûtaient, il a voulu parler d'eux sans haine, les mettre en valeur dans le même esprit de patiente lumière qu'un peintre hollandais. Il n'y a probablement qu'un livre qui soit né de la même source, qui ait suivi dans l'âme de son auteur des voies intérieures analogues et qui, participant au fond de la même racine, signifie en somme la même chose : c'est *Don Quichotte*. Mais il s'est trouvé qu'en écrivant *Madame Bovary* contre sa volonté, son goût et sa nature, Flaubert s'est rac-croché violemment à sa réalité littéraire, à son idée désormais impérissable et exigeante de dis-cipline.

Emma Bovary est dans le microcosme d'Yon-ville la petite force indisciplinée et passive qui doit nécessairement être vaincue. Que Flaubert ait pitié d'elle, qu'il l'aime peut-être seule, c'est possible, c'est même vrai, mais il ne le dit pas, et cela ne nous regarde pas. Seulement, s'il ne s'est pas empoisonné comme elle, si, comme il l'a dit en une galéjade que Taine nota sans sourciller dans l'*Intelligence* à titre de document psycholo-gique, il a seulement senti pendant trois jours le goût d'arsenic dans la bouche, après avoir écrit le récit de l'empoisonnement, c'est qu'il a pris place, réellement, en chair et en os, dans le chœur des disciplinés, et qu'après avoir suivi le convoi d'Emma il a été naturalisé bourgeois d'Yonville. Il m'avait semblé un jour voir une figure de Flaubert dans le Dr Larivière. Bien plu-tôt aujourd'hui le verrais-je personnifié en Bi-net. Binet a trouvé la paix et une discipline à sa portée dans la pratique assidue du tour. Il tourne comme Flaubert écrit. Il y faut un talent, de la vocation, il les a et y ajoute par un effort conti-nuel. Mais Flaubert n'atteint pas à la hauteur de Binet. La pratique du tour est pour Binet un plaisir en soi qui suffit à lui donner une raison complète de vivre. Il est inutile à sa satisfaction que les louanges de ses produits soient publiées par M. Homais dans le *Fanal de Rouen* et les fassent admirer d'un public nombreux. Au contraire, Flaubert ne tournerait pas s'il n'y avait pas le *Fanal* et M. Homais. La destinée intelligente avait d'ailleurs placé M. Homais à côté de lui sous le nom de Maxime du Camp.

Flaubert a continué à tourner comme Antoine, à la dernière ligne de la *Tentation,* se remet en prières et comme Bouvard et Pécuchet recommencent à copier. Mais comme il tourne difficilement, il a besoin des conseils d'autrui. Il est à remarquer que les trois quarts des faiblesses et des incorrections que l'on peut relever, à titre de taches négligeables, à travers l'œuvre de Flaubert se trouvent dans *Madame Bovary,* — les *Œuvres de Jeunesse* étant laissées de côté. La raison en est simple. C'est qu'à partir de *Salammbô,* Flaubert fait prudemment écheniller ses épreuves par des amis et en particulier par Bouilhet. On trouve dans l'édition Conard la liste des remarques de Bouilhet sur l'*Education Sentimentale,* et Flaubert, qui a déféré à un certain nombre, aurait pu sans inconvénient en admettre davantage.

Une partie de la mauvaise humeur avec laquelle il écrit lui vient sans doute de ceci. Il sait combien il est difficile d'écrire parfaitement le français. Il sait combien sont rares, au XIXᵉ siècle, les grands écrivains qui ont connu intégralement l'intérieur, les ressources, la vie de leur langue. Après Chateaubriand, Victor Hugo et peut-être Théophile Gautier, on serait assez embarrassé d'en citer un quatrième. Il s'épuise à la recherche de la correction, de la propriété, du nombre. Il les trouve souvent, surtout le nombre. Mais autant il est hésitant et difficile sur le choix de ses mots et de ses phrases, autant il est absolu sur l'excellence de ce qu'il a laissé imprimer et supporte impatiemment la critique. Il sent qu'il a davantage à demander des conseils, s'y soumet assez docilement, tant que l'œuvre se fait. Mais quand l'œuvre est faite, c'est-à-dire quand elle est exposée en public, et que l'auteur peut dès lors recevoir sur elle plus d'avis utiles qu'il ne le pouvait quand elle demeurait manuscrite, il la voit d'un autre œil, la défend par toutes les raisons, parfois mauvaises et qu'il sait mauvaises. C'est d'ailleurs très humain, et tout naturel — puisqu'il n'y a pas d'œuvre si parfaite qu'on ne puisse encore perfectionner dans le détail et qu'à ce compte on ne ferait pas grand'chose de nouveau. Seulement, ces mauvaises raisons sont souvent instructives. Victor Hugo, ayant parlé par inadvertance de la Sorbonne au temps de Charlemagne, croyait devoir se défendre en alléguant que l'étymologie de « Sorbonne » était *Soror bona*. Voyez Flaubert :

« Il prétendait, dit Maxime du Camp, il a toujours prétendu que l'écrivain est libre, selon les exigences de son style, d'accepter ou de rejeter les prescriptions grammaticales qui régissent la langue française, et que les seules lois auxquelles il faut se soumettre sont les lois de l'harmonie… Il disait que le style et la grammaire sont choses différentes ; il citait les plus grands écrivains qui presque tous ont été incorrects, et faisait remarquer que nul grammairien n'a jamais su écrire. »

C'est là sans doute une réponse un peu confuse à quelques remarques dans le genre de celles de Faguet et de M. de Robert, faites sur quelque phrase de Flaubert — et Maxime du Camp a dû ajouter à cette confusion. Quel que soit son auteur, on voit facilement ce que dans ce passage il y a de vrai et de faux. Ni Flaubert ni aucun homme sensé n'a jamais pu penser que les seules lois auxquelles il faille se soumettre soient les lois de l'harmonie. Il n'y a pas de langue à flexions, ni à plus forte raison de style sans grammaire. Seulement, il est exact que le caractère grammatical, et particulièrement de la langue française, se renforce au fur et à mesure qu'elle avance, qu'elle est réalisée par des écrivains, que sa texture devient moins libre, que ses lois se formulent, que sa jurisprudence se fixe. Au temps de Montaigne, le poids de la souveraineté ne touchait pas un gentilhomme deux fois dans sa vie, et le poids de la grammaire ne touchait pas beaucoup un écrivain. Aussi la France produisait-elle des Bussy d'Amboise et des d'Aubigné du même fonds dont elle engendrait des Rabelais et des Montaigne. Mais les grammairiens sont venus comme les intendants. Richelieu a fondé l'Académie comme il a fait couper la tête de Montmorency. Le style et la grammaire se sont joints davantage, et leur adhérence croissante est un fait inévitable, donné avec le mouvement de la langue elle-même, et sur lequel il n'y a pas à revenir. Redites-vous la phrase célèbre de Chateaubriand que Guizot récitait avec des inflexions qui enthousiasmaient Mme de Staël : « Lorsque, dans le silence de l'abjection, l'on n'entend plus que la chaîne de l'esclave et la voix du délateur ; lorsque tout tremble devant le tyran, et qu'il est aussi dangereux d'encourir sa faveur que de mériter sa disgrâce, l'historien paraît, chargé de la vengeance des peuples. » Chateaubriand y fait une musique oratoire presque parfaite ; mais si vous la lisez à voix haute peut-être vous apercevrez-vous que les deux *lorsque,* avec leurs trois consonnes, arrêtent et nouent un peu désagréablement le débit. Je suis persuadé qu'au XVIIe siècle on les eût remplacés par *quand... que,* avec un effet certain d'allègement et d'aisance. Seulement cette anacoluthe, dont Bossuet use sans remords, est, au temps de Chateaubriand, considérée comme une hardiesse inadmissible, et il s'en abstient, sacrifiant l'harmonie à la grammaire. Evidemment, aucun grammairien ne marquera de limite exacte entre l'anacoluthe et l'incorrection. Mais il y a des époques de la langue où, comme au temps de Platon, de Tacite et de Bossuet, les ruptures de rapports logiques et les dissonances grammaticales retombent en anacoluthes, et d'autres époques, comme la nôtre, où elles s'étalent platement en incorrections. Il faudrait un singulier parti-pris pour donner comme anacoluthe la phrase de Flaubert : « Grâce à cette bonne volonté... » que j'ai citée tout à l'heure. Entre les grands écrivains incorrects dont parle Flaubert, distinguons ceux qui n'étaient pas incorrects, parce qu'ils vivaient en un temps où ils faisaient la loi, et ceux qui le deviennent parce qu'ils vivent en un temps où ils la subissent. On appelle d'ailleurs point de maturité de la langue un moment d'équilibre entre la création spontanée et la règle commençante, qui dure juste le temps d'une génération.

Presque toutes les fois que Flaubert choit en une irrégularité, c'est sans le vouloir et en commettant une faute. Comme le remarquent fort bien les Goncourt, sa langue ni surtout sa syntaxe n'ont rien de primesautier, de verveux, de hardi. Elles sont courtes et timides, avec des qualités scolaires, et à la moindre tentative de haute école elles tomberaient par terre. Quand il s'écrie : « De l'air ! de l'air ! Les grandes tournures, les larges et pleines périodes, se déroulant comme des fleuves, la multiplicité des métaphores, les grands éclats du style, tout ce que j'aime enfin ! », songez à Emma Bovary s'exaltant lyriquement sur le voyage d'Italie qu'elle ne fera jamais. Ce n'est point par un sens puissant de la langue que Flaubert en est devenu un maître, c'est par la longue patience qui fait la moitié de son génie verbal et aussi et surtout par son gueuloir.

On s'est moqué du gueuloir. C'est de lui pourtant que Flaubert a tiré toute la finesse de son métier. « Les phrases mal écrites, dit-il, ne résistent pas à cette épreuve ; elles oppressent la poitrine, gênent les battements du cœur, et se trouvent ainsi en dehors des conditions de la vie. » Par là, Flaubert a trouvé le grand courant du style classique qui, ainsi que Brunetière l'a souvent et fortement montré, est un style parlé, associé aux rythmes et à l'espace de la voix. C'est de là que vient la solidité substantielle de cette forme flaubertienne qui tant qu'il y aura une langue française ne vieillira jamais, restera musclée et parfaite comme un dessin d'Ingres. Voyez au contraire comme date aujourd'hui un style juxtaposé et papillotant, rebelle au parloir tel que celui des Goncourt et même d'Alphonse Daudet. L'écriture qui ne prend pas de près contact avec la parole se dessèche comme la plante sans eau.

Dans l'intérieur de ses limites, un peu étroites, cette prose est d'une délicatesse de rythmes, d'une science et d'une variété de coupe incomparables. Avec La Bruyère et Montesquieu, Flaubert paraît dans la langue le maître de la coupe ; nul n'a de virgules plus significatives, d'arrêts de tous genres plus nerveux.

Ces qualités classiques ont été méconnues par les plus classiques. La voix de M. de Robert n'est pas isolée, et de son vivant comme après sa mort, le style de Flaubert a été âprement discuté. La critique universitaire a gardé une certaine défiance contre un écrivain qui n'était pas de l'Académie (où Maxime du Camp tenait une place pompeuse) et qui faisait autant de bruit que s'il en était. Sainte-Beuve en parle froidement. Faguet ne lui donne pas de place parmi ses « maîtres du XIXᵉ siècle », oracle du Brevet supérieur, et lui consacre plus tard, par raccroc, un petit volume hâtif. Brunetière l'aborde avec une hargne dont la mauvaise foi est insigne. Quand paraissent les *Trois Contes,* il écrit, dans la *Re-*

vue des Deux Mondes : « Dans l'école moderne, quand on a pris une fois le parti d'admirer, l'admiration ne se divise pas, et l'on a contracté du même coup l'engagement de trouver tout admirable. Il est donc loisible, il est même éloquent à M. Flaubert d'appeler Vitellius "cette fleur des fanges de Caprée". Quels rires cependant si c'était dans Thomas que l'on découvrit cette étonnante périphrase, et comme on aurait raison ! » Or, voici la phrase d'*Hérodias :* « La fortune du père dépendait de la souillure du fils ; et cette fleur des fanges de Caprée lui procurait des bénéfices tellement considérables qu'il l'entourait d'égards, tout en se méfiant, parce qu'elle était vénéneuse. » L'image se tient solidement, et surtout elle exprime chez les deux Vitellius un état d'esprit qu'il faudrait dix lignes pour expliquer autrement et plus mal. Isolés par le malveillant critique, les six mots sont en effet une fleur de rhétorique. Qui est responsable, sinon l'homme au sécateur ? Méfions-nous des citations tronquées.

Mais l'opinion des critiques importe moins en cette matière que celle des disciples. Le style de Flaubert a établi sa valeur par sa fécondité. Comme celui de Guez de Balzac, il a institué une école. Il a formé des élèves. Cet écrivain, qui ne fut pas de l'Académie, fut à lui seul une Académie, c'est-à-dire une source d'exemples. C'est chez lui que toute une génération a appris à écrire. Grand par lui-même, il est plus grand peut-être encore par ses élèves. L'éducation de Maupassant par Flaubert, peut-être unique dans notre histoire littéraire, nous place dans la saine atmosphère d'un atelier de la Renaissance, d'un Léonard qui sort d'un Verrocchio ou d'un Jules Romains qui naît d'un Raphaël. *Salammbô* imité cent fois a donné le style de la grande décoration historique, *Bouvard* le style du naturalisme goguenard. Certaines scènes de la *Tentation,* comme l'entretien d'Antoine, d'Apollonius et de Damis, auraient pu fournir le pur et parfait modèle de ce style dramatique nerveux, harmonieux, riche en répliques condensées et en coupes puissantes qui manqueraient à notre prose si Victor Hugo ne l'avait en partie réalisé dans le drame d'ailleurs lamentablement vide de *Lucrèce Borgia.* Peut-être les pages colériques, guignolesques et truculentes de la *Correspondance* ont-elles quelque peu inspiré les styles succulents de Huysmans et de Léon Bloy. Une telle place n'est sans doute pas la première dans la prose française, elle reste considérable, elle mérite que Flaubert demeure pour les écrivains d'aujourd'hui autre chose qu'un maître, — le bon ouvrier, le Patron.

Lettre à Marcel Proust
sur le style de Flaubert
(1920)

par
Albert Thibaudet

La Nouvelle Revue française, 1ᵉʳ mars 1920, en réponse à « A propos du "style" de Flaubert », de Marcel Proust, repris plus haut, p. 61.

Mon cher confrère,

J'ai goûté, comme tous les lecteurs de la *Nouvelle Revue Française,* vos notes pénétrantes sur le style de Flaubert. Une ingénieuse Providence a voulu que mes réflexions fussent apparemment assez différentes de votre sentiment pour vous engager à le formuler contre elles, et, dans le fond, assez concordantes avec les vôtres pour que je puisse accepter sans palinodie la plus grande partie de votre pensée et me livrer au plaisir de me sentir d'accord avec elle.

Notre dispute serait en effet surtout « grammairienne ». Mais reconnaître qu'une dispute est grammairienne, c'est reconnaître qu'il existe un moyen de la résoudre, qui est le dialogue, ou, comme on disait autrefois, la « conférence ». Il n'est pas mauvais que nous prenions l'habitude de ces dialogues, et qu'en « conférant » nos opinions nous arrivions à découvrir les raisons qui nous accordent, ou, avec un bénéfice presque égal, les raisons qui nous empêchent de nous accorder.

J'ai rendu hommage au style de Flaubert. J'ai reconnu qu'il avait atteint la perfection même de son métier, que ses grands travaux sont, pour les gens de plume (votre article le prouve), ce qu'étaient pour les compagnons du Tour de France, la vie de Saint-Gilles ou Saint-Urbain de Troyes, le chef-d'œuvre d'un art qui est un métier et d'un métier qui est un art. Tout le malentendu vient de cette expression qu'à la façon dont elle a été relevée, je reconnais maintenant avoir assez faussement exprimé ma pensée : Flaubert n'est pas un écrivain de race. J'avais, en écrivant ces mots peu heureux, trois idées en tête : d'abord, la somme de travail qui demeure incorporée visiblement au style de Flaubert, et que, par une singulière inversion, une opinion un peu naïve porte à son crédit au lieu de le mettre à son débit. Il sent l'huile, et la lampe nocturne de Croisset nous accompagne souvent dans notre lecture. Evidemment, il ne sent pas l'huile à la façon d'un Thomas, mais bien à la manière d'un Balzac (Guez) ou d'un Isocrate, ou, pour parler plus exactement, d'une manière intermédiaire entre celle d'Isocrate et celle de Thucydide. Et je ne dis pas que ce ne soit encore là une des premières places, mais cette place nous invite précisément à faire des comparaisons, à rapprocher les réussites d'écrivains qui ont suivi la même route, à estimer que la *Nouvelle Héloïse* et les *Mémoires d'Outre-Tombe* l'emportent un peu sur l'*Education Sentimentale,* bien que le style de son roman ait coûté à Rousseau autant de peine qu'en a coûté à Flaubert le style des siens : cette peine est moins visible sur l'ouvrage, voilà tout.

— Je pensais en outre à certaines faiblesses de la langue de Flaubert, dissimulées et assez rares, mais qui nous font pressentir que la langue chez lui est maîtrisée du dehors, par une persévérance et une probité continuelles, plutôt que du dedans, par un génie verbal incorporé à une sensibilité, ainsi que chez un Bossuet ou un Voltaire, un Chateaubriand et un Victor Hugo. — Je songeais enfin à cet écart si singulier qui existe entre les *Œuvres de Jeunesse* et *Madame Bovary,* à cette conversion au style purifié qui suit le voyage d'Orient. Je ne méconnais pas la principale valeur de la *Tentation* de 1849. Si Flaubert était mort durant son voyage et que ses amis eussent publié la *Tentation* qu'il venait d'achever, il tiendrait encore une place dans la littérature. Son livre aurait eu longtemps, aurait encore, des partisans enthousiastes, et tiendrait une place analogue à celle d'*Axël* (mon goût plaçant d'ailleurs *Axël* assez fort au-dessus de l'œuvre de jeunesse de Flaubert) — et le dialogue du Sphinx et de la Chimère, l'épisode d'Apollonius eussent passé à bon droit pour des éclats de génie pleins de promesses chez un écrivain de vingt-huit ans. Il n'en est pas moins vrai que de cet atelier dans un coin de musée à la forge de *Madame Bovary* le passage est bien singulier. Ce que vous admirez le plus, dites-vous, dans *L'Education Sentimentale,* c'est un blanc. Le moment le plus étonnant de l'existence littéraire de Flaubert c'est le blanc qui sépare la première *Education* et la première *Tentation* de *Madame Bovary.*

En disant que Flaubert n'est pas un écrivain de race, je voulais donc dire que les parties hautes de son génie apparaissent au lecteur comme le résultat d'une volonté extraordinairement intelligente plutôt que comme le don d'une nature. Je dis « apparaissent », car c'est cette apparence qui seule importe ici. Seulement, la même apparence existe chez Thucydide et chez La Bruyère dont on place à juste titre si haut les qualités de style. Elle n'existe pas chez La Fontaine, qui faisait les vers de ses *Fables* avec autant de labeur artistique que Flaubert ses alinéas de prose. Et il est bien certain qu'appliquée non seulement à La Fontaine, mais même à Thucydide et à La Bruyère, cette expression « ce n'est pas un écrivain de race » serait choquante et, en somme, absurde. C'est ce que M. Souday me faisait remarquer dans un article sur la question, avec des épithètes plus courtoises que celles-là. En employant le terme « écrivain de race » pour désigner cette nuance de ma pensée, je faisais récemment une faute de langue. Quand on n'est ni Mme de Sévigné, ni Chateaubriand, on peut apprendre de Flaubert à retourner sept fois les mots de sa langue dans son encrier.

Peut-être mettrait-on assez bien les choses au point en évoquant l'image de Louis XIV. Louis XIV n'est pas seulement un grand roi, il est le grand roi, parce qu'il a réalisé le style de la royauté, de la même manière que Racine a réalisé le style de la tragédie, La Fontaine le style de la poésie, La Bruyère le style de l'analyse psychologique et sociale. Or, le mot de Saint-Simon, qu'il était né avec un esprit au-dessous du médiocre, non seulement n'est pas faux, mais s'incorpore parfaitement à ce genre de grandeur, et Saint-Simon, dans le portrait qu'il fait du roi, sait bien lui-même l'y incorporer. Je ne dis nullement que le style de Flaubert soit originellement au-dessous du médiocre, mais enfin c'est par des voies pareilles de conscience, de lucidité, de volonté, que l'un a réalisé le type du grand roi et l'autre le type du grand artiste. On serait mal venu à s'appuyer sur le mot de Saint-Simon pour dire que Louis XIV n'était pas un monarque de grande race. On serait mal venu à s'appuyer sur des observations analogues pour conserver une expression dont j'ai eu tort d'user et qu'il faut décidément laisser tomber.

Retenons pourtant de tout cela que ces questions de frontière entre le génie et la longue patience qui lui ressemble si bien sont extrêmement complexes. Ou plutôt, mettons-nous un peu de musique dans l'esprit. Relisons du *Banquet* le discours d'Agathon et la critique qu'en fait Socrate, ce commentaire anticipé du : Tu ne me chercherais pas si tu ne m'avais trouvé. Appliquons au problème du style la solution que donne Socrate du problème de l'amour. Nos idées non seulement s'éclairciront, mais prendront la plus belle lumière.

*
* *

Il est donc entendu que l'expression de ma pensée est restée sensiblement en deçà de l'admiration que mérite Flaubert et que je ressentais pleinement. Etes-vous sûr que, par un jeu de bascule naturel, l'expression de la vôtre n'aille pas, de la même longueur, au-delà ? « J'ai été, dites-vous, stupéfait, je l'avoue, de voir traité de peu doué pour écrire, un homme qui par l'usage entièrement nouveau et personnel qu'il a fait du passé défini, du passé indéfini, du participe présent, de certains pronoms et de certaines prépositions, a renouvelé presque autant notre vision des choses que Kant, avec ses Catégories, les théories de la Connaissance et de la Réalité du monde extérieur. » J'aurais peut-être droit aussi à quelque stupéfaction devant ce rapprochement, qu'on serait assez mal venu d'appuyer sur une phrase célèbre de Buffon ; mais je préfère me souvenir du conseil de Paul-Louis, ne pas confondre Gonesse avec Tivoli, ni Pontoise avec Albano. Dirons-nous que Pascal, qui le premier a introduit dans la langue, avec les *Provinciales*, le participe présent indéclinable, a renouvelé par là presque autant notre vision des choses que par l'opuscule sur l'*Esprit Géométrique*, l'idée des deux infinis, les inventions de son apologétique ? Mettons le style, et, comme vous dites, la beauté grammaticale, à leur place, mais sachons aussi les tenir à cette place, et ne cédons pas non plus à la dangereuse mode, si commune aujourd'hui, d'introduire le nom de Kant là où il n'a que faire.

Mais enfin, vous avez pleinement raison de voir en Flaubert un artiste en beauté grammaticale. Vos remarques sur l'éternel imparfait de Flaubert sont parfaites. Evidemment, Flaubert n'a pas créé l'imparfait narratif, dont nos écrivains ont toujours usé abondamment, surtout quand ils se racontaient eux-mêmes, à la première personne, et dans les *Mémoires d'Outre-Tombe,* où il est souvent employé à la troisième, on voit fort bien le plan incliné psychologique qui conduit insensiblement de l'une à l'autre. Mais aucun livre de la langue française n'en avait encore présenté un usage aussi continu, aussi juste, aussi fidèlement moulé sur le sentiment à rendre, que *Madame Bovary.* « Cet imparfait, si nouveau dans la littérature, change entièrement l'aspect des choses et des êtres, comme font une lampe qu'on a déplacée, l'arrivée dans une maison nouvelle. » Peut-être est-ce l'aspect des choses et des êtres, tel qu'il s'imposa à Flaubert, qui exigea l'emploi de l'imparfait, puisque l'imparfait exprime le passé dans un rapport soit avec le présent, soit avec une nature habituelle, « deux conditions qui sont réunies quand nous nous évoquons nous-mêmes, que nous remontons notre passé, à la recherche du temps perdu », et que Flaubert a réunies pareillement en faisant vivre ses personnages dans leur durée propre, non dans la lumière d'atelier d'une durée commune. Ce qui fait que j'entends bien en somme ce que vous voulez dire quand vous proclamez que Flaubert a renouvelé ainsi notre vision des choses autant qu'un philosophe. Et je laisserais passer sans protestations cet ultra-bergsonisme si vous n'affirmiez que cette vision est renouvelée par un instrument non psychologique mais grammatical, non par la vision particulière de Flaubert, mais par son expression verbale. Expression verbale qui est si bien le dépôt d'une vision et d'un sentiment que là où ceux-ci ne sont pas présents, elle s'étale à faux : l'imparfait d'Alphonse Daudet est encore manié par un artiste profond qui sait animer et vivre une durée étrangère, mais celui de Zola ne donne plus guère qu'une impression monotone et mécanique, n'est que gestes d'école d'un style qui ne travaille plus de son fonds. Le vôtre, au contraire, est nécessité par l'intérieur aussi indiscutablement que celui de Flaubert : votre masse de durée compacte, toujours imparfaite, toujours acquérante, toujours sentie comme un présent à visage de passé, comme un temps qui se retrouve, se renouvelle et se mire, exigeait votre abondance d'imparfaits, d'ailleurs beaucoup plus traditionnels à la première personne qui est la vôtre, qu'à la troisième, celle de Flaubert.

Et qu'il y ait ici invention de sentiment plus qu'invention grammaticale, le passé de la langue suffit à le prouver. Vous donnez comme une forme principale de l'éternel imparfait de Flaubert, les « paroles des personnages que Flaubert rapporte habituellement en style indirect pour qu'elles se confondent avec le reste. ("L'Etat devait s'emparer de la Bourse. Bien d'autres mesures étaient bonnes encore. Il fallait d'abord passer le niveau sur la tête des riches...", tout cela ne signifie pas que Flaubert pense et affirme cela, mais que Frédéric, la Vatnaz ou Sénécal le disent, et que Flaubert a résolu d'user le moins possible des guillemets) ; donc cet imparfait, si nouveau dans la littérature... » Si nouveau ? Même cette forme extrême de l'imparfait narratif, qui en fait l'équivalent du discours indirect, se rencontre au XVIIᵉ siècle. La Fontaine en a usé peut-être plus hardiment que Flaubert :

> *Si quelque chat faisait du bruit.*
> *Le chat prenait l'argent.*

> *Il nageait quelque peu, mais il fallait de l'aide.*

et cette gamme incomparable de temps :

> *L'Arbre étant pris pour juge,*
> *Ce fut bien pis encore, il servait de refuge*
> *Contre le chaud, la pluie et la fureur des vents.*
> *Pour nous seuls il ornait les jardins et les champs.*
> *L'ombrage n'était point le seul bien qu'il sût faire.*
> *Il courbait sous les fruits. Cependant pour salaire*
> *Un rustre l'abattait : c'était là son loyer ;*
> *Quoique pendant tout l'an libéral il nous donne*
> *Ou des fleurs au printemps, ou du fruit en*
> automne,
> *L'ombre l'été, l'hiver les plaisirs du foyer.*
> *Que ne l'émondait-on sans prendre la cognée ?*
> *De son tempérament il eût encore vécu.*

Dans « c'était une maison basse, avec un jardin montant jusqu'en haut de la colline, d'où l'on découvre la mer », vous avez vu très justement que « le présent de l'indicatif opère un redressement, met un furtif éclairage de plein jour qui distingue des choses qui passent une réalité plus durable. » Au huitième vers, le passage de l'imparfait au subjonctif présent, quand la stricte grammaire demanderait l'ihparfait du subjonctif, exprime exactement la même transition vers une réalité plus durable, la réalité annuelle d'une nature continue et généreuse, analogue à la permanence de la vue sur la mer, au haut de la colline.

Ainsi les apparentes inventions grammaticales de Flaubert se retrouvent chez les écrivains qui l'ont précédé, et cela parce qu'elles ne forcent jamais la langue et qu'elles ont dû être employées, lorsqu'ils en avaient l'occasion, par les maîtres qui connaissaient les ressources de cette langue. Si pourtant elles font figure d'inventions grammaticales, c'est que Flaubert le premier les a employées systématiquement, consciemment, pour exprimer un sentiment des choses humaines, vues de l'intérieur, qui lui était propre, et cette invention authentique nous paraît accompagnée d'une invention grammaticale qui l'est moins.

Il en est de même de l'emploi du participe présent. Jusqu'à Flaubert, les écrivains français, qui usent abondamment et normalement de l'adjectif verbal et du gérondif, répugnent un peu à l'emploi du participe présent, terme invariable et sans expression, flottant entre le verbe et l'adjectif mais les remplaçant mal, et inadapté, mou et gauche. Les écrivains classiques, qui vont hardiment parmi les *qui* et les *que*, terreur de Flaubert, s'en passent facilement et le remplacent volontiers par un verbe. Mais aussi ils savent à l'occasion utiliser cette faiblesse et en faire ce que la rhétorique appelait une beauté. Ils emploient le participe présent comme une sorte de ton mineur, quand il s'agit d'exprimer quelque chose de faible, ou de commençant ou de finissant. Flaubert en eût, je crois, aimé cet emploi délicieux dans le *Télémaque* : « En même temps, j'aperçus l'enfant Cupidon, dont les petites ailes s'agitant le faisaient voler autour de sa mère. » Suivez le *crescendo*, sentez l'antithèse rythmique dans cette phrase de La Bruyère : « Se formant quelquefois sur le ministre ou sur le favori, il parle en public de choses frivoles, du vent, de la gelée ; il se tait au contraire et fait le mystérieux sur ce qu'il sait de plus important, et plus volontiers encore sur ce qu'il ne sait point. » Racine écrit :

> *N'est-ce pas à vos yeux un spectacle assez doux*
> *Que la veuve d'Hector pleurant à vos genoux.*

Il s'agit d'une diminution, et *pleurant* est dès lors bien meilleur que *qui pleure* pour exprimer l'abaissement d'Andromaque. Mais dans

> *Sous les drapeaux d'un roi longtemps victorieux*
> *Qui voit jusqu'à Cyrus remonter ses aïeux*

remplacez *qui voit* par *voyant*, tout s'amollit, tombe en quenouille.

La mollesse du participe présent se faisant sentir quand il commence et surtout quand il finit une phrase (à moins qu'il ne s'agisse du participe absolu, comme celui que j'emploie précisément ici), une construction naturelle à la langue consiste à encadrer cette valeur faible du participe, comme dans une cordée, entre deux valeurs fortes, entre deux verbes qui le soutiennent :

> *Non, princes, ce n'est point au bord de l'univers*
> *Que Rome fait sentir tout le poids de ses fers,*
> *Et, de près inspirant les haines les plus fortes,*
> *Tes plus grands ennemis, Rome, sont à tes portes !*

La force qu'une position bien calculée et une anacoluthe fort simple donnent ici au participe présent est vraiment étonnante, et Flaubert le premier savait que, de son temps, l'âge de pareilles inventions était passé.

Or, c'est un fait que Flaubert manie très gauchement les *qui* et les *que,* qu'il le sait et veut s'en passer le plus possible. Il déclare qu'ils lui gâtent les maîtres du XVIIᵉ siècle. C'est même une des raisons qui lui font employer souvent l'imparfait du discours indirect, lorsqu'il ne veut ni des guillemets du discours direct, ni des *que* du discours indirect proprement dit. Mais surtout il est amené à employer souvent ce participe présent qui évite les *qui* et les *que,* et l'emploi qu'il en fait se ramène tout entier aux traitements que lui avaient fait subir nos classiques. Au commencement d'une phrase, il a quelque chose d'inchoatif : « C'était un autre lien de la chair s'établissant, et comme le sentiment continu d'une union plus complète. » A la fin d'une phrase, il indique un fléchissement, une mollesse, un déclin, une chute. « De la hauteur où ils étaient, toute la vallée paraissait un immense lac pâle, s'évaporant à l'air. » « La catapulte roula jusqu'au bord de la plate-forme ; et, emportée par la charge de son timon, elle tomba, fracassant les étages inférieurs. » Au milieu d'une phrase, il est maçonné et soutenu par des valeurs fortes. « Elle entrevit, parmi les illusions de son espoir, un état de pureté flottant au-dessus de la terre, se

confondant avec le ciel, et où elle aspira
d'être. »

*
* *

« La conjonction *et,* dites-vous, n'a nullement
dans Flaubert l'objet que la grammaire lui assigne. Elle marque une pause dans une mesure
rythmique et divise un tableau. En effet, partout
où on mettait *et,* Flaubert le supprime... Chez
Flaubert, *et* commence toujours une phrase secondaire et ne termine presque jamais une énumération. » Votre remarque est vraie en ce
qu'elle affirme, mais me paraît bien contestable
en ce qu'elle nie. *Et* a en français deux significa-
tions, dont les grammairiens se sont obstinés à
ne voir jamais que la première : une signification
de liaison statique et une signification de liaison
dynamique, de mouvement. Flaubert, comme
tout écrivain, emploie l'une et l'autre. Il se sert
du premier *et* pour terminer une énumération,
toutes les fois que l'énumération est donnée
comme complète, ne l'emploie pas quand elle
est indéterminée ou incomplète, et il fait là
comme tout le monde : « Il contenait des écuries
pour trois cents éléphants, avec des magasins
pour leurs caparaçons, leurs entraves et leur
nourriture, puis d'autres écuries pour quatre
mille chevaux avec les provisions d'orge et les

harnachements, et des casernes pour vingt mille soldats avec les armures et tout le matériel de guerre. » Mais : « Des arborescences, des monticules, des tourbillons, de vagues animaux, se dessinaient dans leur épaisseur diaphane. » Je prends ici deux phrases limites, qui se passent de commentaires, mais il est bien évident que Flaubert a plus souvent à faire des énumérations évocatoires du second genre que des énumérations inventaires du premier.

Quant au *et* dynamique, il a pour type le *et* épique, calque du και homérique, et qui ne paraît guère chez nous, je crois, avant André Chénier ; Flaubert, qui ne tient pas à employer les formes surannées de l'épopée, ne s'en sert presque jamais. Mais, d'une façon générale, *et* commence chez lui un membre de phrase qui ajoute, dans un mouvement d'apparence oratoire, quelque chose de décisif, un accroissement, un couronnement. Plus précisément, le *et* est une pièce constante, un peu monotone, de la phrase-type de Flaubert, la phrase parfaite de « gueuloir ». Il s'agit de la phrase à trois propositions de longueur variable, mais toujours équilibrées par le nombre. « Cependant, sur l'immensité de cet avenir qu'elle se faisait apparaître, rien de particulier ne surgissait ; les jours tous magnifiques se ressemblaient comme des flots ; et cela se balançait à l'horizon, infini, harmonieux, bleuâtre et couvert de soleil. » Certes, toutes ces phrases de Flaubert sont de tour bien original : mais c'est, dans sa construction générale, la vieille phrase oratoire française, dont Balzac a transmis le type à Bossuet, et que Flaubert rajeunit pour le plaisir de ces « universitaires flegmatiques » auxquels, un jour de mauvaise humeur, le renvoyaient les Goncourt.

Le *et* de mouvement fait partie essentielle de cette période-type. Mais je crois bien que si on avait la patience de compter ces phrases dans les romans de Flaubert, on en verrait le nombre décroître régulièrement de *Madame Bovary* à *Bouvard*. Corrigeant *Salammbô*, il écrit : « Je m'occupe présentement à enlever les *et* trop fréquents », et il s'agit probablement des *et* de sa phrase ternaire. Car Flaubert est à la fois hanté par le nombre oratoire et en lutte perpétuelle contre lui pour le contenir, le briser, le couper. C'est la force de ce nombre et l'énergie de cette lutte qui font de lui, avec La Bruyère, le maître certain de la *coupe* : je crois que nous sommes d'accord là-dessus.

*
**

Je vous ai dit les raisons pour lesquelles je crois beaucoup moins que vous à l'invention grammaticale de Flaubert. Je reste un peu étonné devant des affirmations comme : « Les *après tout,* les *cependant,* les *du moins* sont toujours placés ailleurs qu'où ils l'eussent été par quelqu'un d'autre que Flaubert. » Je ne puis pas relire tout Flaubert pour discuter cela ; mais je sais bien que *cependant* est généralement chez lui au commencement d'une phrase, ou même d'un alinéa, ce qui est bien sa place ordinaire. Reste que Flaubert, comme tous les grands écrivains, a inventé son style, et qu'il s'est mis à l'inventer tard. Mais, sauf les restrictions que me paraissent comporter les trois premiers mots, je souscris à votre jugement : « Ces singularités grammaticales traduisant en effet une vision nouvelle, que d'application ne fallait-il pas pour bien fixer cette vision, pour la faire passer de l'inconscient dans le conscient, pour l'incorporer enfin aux diverses parties du discours ! Ce qui étonne seulement chez un tel maître, c'est la médiocrité de sa *Correspondance.* »

« Il nous est impossible, continuez-vous, d'y reconnaître avec M. Thibaudet les "idées d'un cerveau de premier ordre", et cette fois, ce n'est pas par l'article de M. Thibaudet, c'est par la correspondance de Flaubert que nous sommes déconcertés. » Voulez-vous dire, mon cher confrère, que si vous êtes étonné de voir Flaubert gonfler dans ses lettres des vessies vides, vous ne l'êtes pas de me les voir prendre pour des lanternes ? Je suis bien sûr que non. Alors voilà une phrase qui dit autre chose que ce que vous vouliez dire, et c'était précisément le cas de ma phrase sur les écrivains de race. Pardonnons-nous réciproquement la même faute.

En tout cas, je m'en tiens, quitte à l'expliquer, à mon opinion sur la correspondance. Il est juste que nous ne la jugions que sur ses franches et pleines parties, sur les lettres adressées par Flaubert à des correspondants auxquels il ouvre largement sa pensée et son cœur. Un gros volume de l'édition Conard contient, mises à part, les lettres à Mme Franklin-Groult : elles n'ont aucune espèce d'intérêt. D'autre part, quand il croit devoir parler de politique, il ne profère que des inepties (le mot n'est pas trop fort). Le Flaubert d'intelligence et d'idées, c'est Flaubert parlant du cœur humain et surtout parlant de l'art, le Flaubert de ces admirables lettres à Louise Colet, écrites pendant qu'il composait *Madame Bovary*, si pleines, si vibrantes, si nombreuses. La lettre sur la mort d'Alfred le Poitevin, la réponse à Du Camp pour refuser de venir à Paris, devront prendre place dans les *Lettres choisies du XIXe siècle*, quand les programmes classiques inciteront les éditeurs à continuer ce qu'ils ont fait pour les deux siècles précédents. Le malheur est que cette correspondance nous a été livrée mutilée de deux de ses trois parties essentielles ;

la plus grande partie des lettres à Bouilhet, qui ont été détruites par l'exécuteur testamentaire du poète, et la plus grande partie des lettres à Du Camp, que celui-ci s'est refusé à laisser publier, sauf celles qu'il a données dans ses *Souvenirs Littéraires* (je crois que c'est précisément cette année 1920 que les papiers de Du Camp doivent être communiqués au public, à moins qu'on ne les goncourtise. Les lettres de Flaubert s'y trouvent-elles ? A M. Léon Deffoux de nous renseigner). Complète, ce serait une des belles correspondances de notre littérature. M. Souday l'appelle « la plus belle, à mon gré, depuis celle de Voltaire ». Je la trouve tout de même inférieure à celle de Chateaubriand. Faguet, avec sa drôle de classification des romantiques en écrivains qui ont des idées et en écrivains qui n'en ont pas, range Flaubert dans les derniers. Il en donne pour exemple une lettre où Flaubert découvre dans le *Cours de philosophie positive* de Comte, « des Californies de grotesque ». Quel que soit le génie de Comte, il est naturel qu'un artiste comme Flaubert doive trouver, au moins dans sa forme, dans ses *irrévocablement,* ses *spontanément* et ses *dignement,* un grotesque infini.

Je suis obligé d'arrêter ici une lettre trop longue. J'aurais voulu relever plus soigneusement tout ce que vous dites de perspicace, par exemple sur l'impression du Temps que donne Flaubert, et surtout vous suivre dans les indications discrètes que vous apportez à la critique sur la manière dont vous vous reliez vous-même à lui et à Gérard de Nerval. Mais j'aurai l'occasion de revenir là-dessus. En attendant, permettez-moi de me ranger, dans une seconde lettre, aux côtés de M. Daniel Halévy et de discuter votre appréciation, non sur Sainte-Beuve, mais sur la question de savoir dans quelle mesure « la fonction propre du critique, ce qui lui vaut vraiment son nom de critique, c'est de mettre à leur rang les auteurs contemporains ». Ce sera pour un autre jour.

*
**

P.S. — Ayant commencé à donner la forme d'une lettre à ces observations, j'étais gêné pour les encombrer d'analyses détaillées. A titre d'exemple, je rejette en cette note, pour compléter ce que M. Marcel Proust m'a amené plus haut à dire de la conjonction *et* chez Flaubert, une étude technique de tous les *et* d'une page prise dans *Madame Bovary*.

« Le pré commençait à se remplir ; et (1) les ménagères vous heurtaient avec leurs grands parapluies, leurs paniers et (2) leurs bambins. Souvent, il fallait se déranger devant une longue file de campagnardes, servantes à bas bleus, en souliers plats, à bagues d'argent, et (3) qui sentaient le lait quand on passait près d'elles. Elles marchaient en se tenant par la main, et (4) se répandaient ainsi sur toute la longueur de la prairie, depuis la ligne des trembles jusqu'à la tente du banquet. Mais c'était le moment de l'examen, et (5) les cultivateurs, les uns après les autres, entraient dans une manière d'hippodrome que formait une longue corde portée sur des bâtons.

« Les bêtes étaient là, le nez tourné vers la ficelle, et (6) alignant confusément leurs croupes inégales. Des porcs assoupis enfonçaient en terre leur groin ; des veaux beuglaient ; des brebis bêlaient ; les vaches, un jarret replié, étalaient leur ventre sur le gazon et (7), ruminant lentement, clignaient leurs paupières lourdes, sous les moucherons qui bourdonnaient autour d'elles. Des charretiers, les bras nus, retenaient par le licou des étalons cabrés, qui hennissaient à pleins naseaux du côté des juments. Elles restaient paisibles, allongeant la tête et (8) la crinière pendante, tandis que leurs poulains se reposaient à leur ombre, ou venaient les téter quelquefois ; et (9), sur la longue ondulation de tous ces corps tassés, on voyait se lever au vent, comme un flot, quelque crinière blanche, ou bien saillir des cornes aiguës, et (10) des têtes d'hommes qui couraient. A l'écart, en dehors des lices, cent pas plus loin, il y avait un grand taureau noir muselé, portant un cercle de fer à la narine et (11) qui ne bougeait pas plus qu'une bête de bronze. Un enfant en haillons le tenait par une corde. »

(1) *et* de mouvement qui accompagne le peuplement même du pré qui va se remplissant.

(2) *et* de liaison qui condense autour des ménagères cette espèce de bloc encombrant et de masse ambulante des parapluies, des paniers et des gosses agglutinés.

(3) *et* de liaison, mais qui ajoute sa notation nouvelle par un mouvement, um passage brusque et vivant d'une sensation visuelle à une sensation odorante, vous jette en quelque sorte, à son tournant, cette odeur de lait qui demeure aux filles de campagne endimanchées.

(4) et (5), répétition du *et* de mouvement, tout pareil à (1). Il répand dans la phrase, comme une vanne levée, le flot qui coule continuellement dans l'imparfait.

(6) *et* de liaison tout pareil à (2), qui ramasse en une sorte de masse indiquée par *confusément* les croupes inégales des bêtes à l'attache.

(7) et (9), une des formes de *et* les plus originales et les plus fréquentes chez Flaubert. C'est un *et* de mouvement qui, dans une phrase descriptive assez longue, lève comme au bout d'un

bras un trait caractéristique, un détail saillant, destiné à rester comme un point brillant dans la mémoire quand le reste se sera affaissé dans l'ombre. Dans (7), ce détail visuel est horizontal, au niveau même de l'œil humain, qui va naturellement à l'œil des vaches étendues et choisit spontanément ce point pour le fixer et s'y fixer. Dans (9), le détail est vertical, brillant, multiple, épars, une crinière, des cornes, des têtes. Cette forme du *et* de mouvement, employée déjà par Chateaubriand, a été traitée par Flaubert avec une maîtrise particulière, mais, tournée après lui en procédé, a été usée jusqu'à la corde par ses imitateurs.

(8) *et* de liaison qui allie deux aspects d'une même attitude.

(10) *et* qui me paraît curieux. On ne l'attendrait pas, il n'y a pas lieu du tout à conclure une énumération, puisque ce sont là des détails dispersés et qui se renouvellent indéfiniment d'eux-mêmes. Mais cet *et*, apparemment de liaison, est en réalité un *et* de mouvement. Il marque un passage des images statiques (crinières et cornes) à l'image dynamique des têtes d'hommes qui courent. Il accompagne et exprime ce déplacement des têtes. Si Flaubert n'avait pas voulu introduire ce mouvement, il aurait écrit « quelques crinières blanches, des cornes aiguës, des têtes d'hommes », ce qui eût paru d'une ironie bi-

zarre. Mais le mouvement était déjà donné dans la dispersion même du tableau, qui sépare par le *ou bien* les cornes des crinières, puis par le *et*, et surtout par le changement de mode, le mouvement du repos.

(11) *et* de liaison analogue à (2) et à (6). Il est un des boulons qui réunissent en une chose compacte, massive, puissante, les membres de la phrase où est réalisé le taureau immobile. Une fin de paragraphe splendide, toute flaubertienne. Peignant dans *Salammbô* un marché africain, Flaubert l'arrêterait sûrement là. Mais dans cette peinture du comice agricole (et non des comices, comme dit Flaubert, — à moins que l'usage n'ait changé ?) cet arrêt de haute plastique détonerait un peu. Flaubert le détend avant de le quitter, le remet d'une petite phrase dans le courant réaliste du comice. La petite phrase finale : *Un enfant en haillons le tenait par une corde* pend à la superbe phrase du taureau comme la corde elle-même, ce qui fait du taureau non un type à la Buffon, mais bien une bête de ferme et de concours.

Je donne ces remarques comme des impressions et des thèmes plutôt que comme des vérités didactiques. D'une part, *et* est toujours grammaticalement un élément de liaison. D'autre part, comme le style est un mouvement que l'on met dans les pensées, *et* comporte la plupart du temps un élément dynamique, un mouvement et un progrès qui sont le cours même du style, — le discours. La distinction paraîtra plus claire si on considère des exemples-limites. Si M. Jourdain dit : « Nicole, apportez-moi mon mouchoir et mes gants », le *et* qu'il y a dans sa prose est bien de liaison pure. Mais à l'extrémité dynamique, *et* pourra arriver à signifier le contraire même de la liaison, le mouvement qui renverse brusquement un ordre pour lui substituer un ordre contraire :

Esther, disais-je, Esther dans la pourpre est assise.
La moitié de la terre à son sceptre est soumise,
Et de Jérusalem l'herbe cache les murs.

Et dans ce passage de La Bruyère, quel contraste entre les *et* de liaison et le *et* central de mouvement, le *et* à renversement, qui, à la barbe des grammairiens étonnés, fait précisément le contraire d'une liaison et rejette violemment à deux extrémités, deux tableaux opposés ! « N'y épargnez rien, grande reine, employez-y tout l'or et tout l'art des plus excellents ouvriers ; que les Phidias et les Zeuxis de votre siècle déploient toute leur science sur vos plafonds et vos lambris : tracez-y de vastes et de délicieux jardins, dont l'enchantement soit tel qu'ils ne paraissent pas faits de la main des hommes : épuisez vos trésors et votre industrie sur cet ouvrage incomparable ; *et* après que vous y aurez mis, Zénobie, la dernière main, quelqu'un de ces pâtres qui habitent les sables voisins de Palmyre, devenu riche par les péages de vos rivières, achètera un jour à deniers comptants cette royale maison, pour l'embellir et la rendre plus digne de lui et de sa fortune. » Cet *et* d'antithèse paraît d'ailleurs aussi propre à La Bruyère que le *et* plastique de (7) et (9) à Flaubert. « Ces hommes si grands, ou par leur naissance, ou par leur faveur, ou par leurs dignités, ces têtes si fortes et si habiles, ces femmes si jolies et si spirituelles, tous méprisent le peuple, *et* ils sont peuple. » Je m'arrête ici. J'ai voulu donner seulement l'impression de ce qui, dans le travail du style tel que Flaubert le conçoit, relie ce travail aux directions profondes de la langue et à l'œuvre des maîtres.

Stendhal
(1920)

par
Anatole France

L'article d'Anatole France « Stendhal », parut dans *La Revue de Paris,* le 1ᵉʳ septembre 1920. Nous en donnons les dernières pages auxquelles Proust répondra dans sa préface à *Tendres Stocks* de Paul Morand, reprise plus haut, p. 89.

(...) Il y a des hommes de génie qui intéressent plus que leurs œuvres, comme Leibniz ; il y en a d'autres qui n'intéressent que par ce qu'ils ont écrit, Le Sage, par exemple. Il me semble que lorsqu'on lit Beyle, c'est Beyle qu'on cherche, et qu'on préfère l'homme qu'il fut aux plus belles inventions qu'il a laissées. C'est pourtant un incomparable essayiste et un très grand romancier, et très surprenant aussi, par son goût pour le romanesque et son mépris de la vraisemblance, qu'il a souvent sacrifiée à je ne sais quoi de plus grand. L'art de Beyle, si admirable dans *Le Rouge et le Noir* et dans *La Chartreuse,* ne fait pas prévoir l'art du romancier tel qu'il prévalut dans la suite du XIXᶜ siècle ; il se rapporte beaucoup mieux à celui de Richardson, de Jean-Jacques, de Laclos, de Benjamin Constant, de Gœthe, tout au moins par le soin exclusif de peindre les sentiments. Rien chez

Beyle qui fasse penser à Balzac, plus jeune que lui de seize ans, mais plus précoce, à Balzac si peintre et qui colorie si vivement les êtres et les choses ; rien qui ressemble à Walter Scott leur aîné à tous deux, abondant décorateur, qu'il faut bien rappeler, puisqu'il était de leur temps en possession, dans le monde entier, de tous les esprits et de tous les cœurs.

Nous savons que Stendhal travaillait longuement son plan, mais qu'il n'a jamais essayé d'amender son style et que ses livres furent tous écrits de premier jet. C'est ce qu'il fait entendre lui-même en disant qu'il compte sur l'ordre des idées et non sur la qualité des termes et ne se soucie point du style. En faut-il induire qu'il n'écrivait pas bien ? Non point. Fénelon non plus ne travaillait pas son style, il ne corrigeait guère ses phrases et, quand il les corrigeait, il les gâtait. Or Fénelon était tenu par Stendhal pour le plus agréable écrivain du XVIIe siècle et c'est une opinion encore suivie par plusieurs. Nous voilà avertis que Beyle, comme Fénelon, n'estimait dans le style rien autre chose que le naturel. On en pourrait seulement induire qu'il n'était pas artiste, ou du moins qu'il ne l'était pas plus que Fénelon. De toute évidence, il l'était moins. Mais il y a bien des manières d'écrire et l'on peut y réussir parfaitement sans aucun art, de même qu'il arrive d'être un grand écrivain sans correction, à la façon de Henri IV dans ses Lettres et de Saint-Simon dans ses *Mémoires.*

Encore un coup, Beyle écrivait-il bien ? Pressé de répondre à cette question tout net et sans barguigner, je dirai d'abord que personne au temps de Beyle n'écrivait bien, que la langue française était tout à fait perdue et que tout auteur du commencement du XIXe siècle, Chateaubriand aussi bien que Marchangy, tout auteur, dis-je, écrivait mal, à l'exception du seul Paul-Louis Courier, dont le cas était particulier. Paul-Louis Courier, s'avisant que la langue française avait péri, se fabriqua, pour son usage, un idiome avec des morceaux d'Amyot et de La Fontaine. C'est tout le contraire de ce que fit notre Milanais et ces deux auteurs sont aussi dissemblables qu'il est possible à des contemporains.

— Enfin, — me poussez-vous, — Beyle écrivait-il bien ? écrivait-il mal ?

— Eh bien ! Cherchez le langage français dans un chapitre du *Pantagruel,* ou des *Essais* de Montaigne, ou dans une page de ce vieil Amyot, dont Racine désespérait d'imiter la grâce ; et vous sentirez tout de suite qu'on ne retrouvera pas dans les âges qui suivront une telle fleur, une telle vénusté. Passez vite, et abordez les grands siècles. Si vous prenez alors, comme exemple du bon style, la *Conversation du maréchal d'Hoc-*

quincourt avec le père Cannaye, le Roman comique, les *Lettres* de Racine *sur les Imaginaires,* les *Caractères* de La Bruyère, les *Souvenirs* de madame de Caylus, Beyle n'écrit pas bien. Si vous prenez comme canon les *Lettres persanes,* l'*Essai sur les moeurs,* les *Contes* de Voltaire, les *Rêveries du promeneur solitaire* ou la *Lettre sur les aveugles,* Beyle n'écrit pas bien. Mais, si vous le comparez, comme il est équitable et juste, à quelqu'un de ses contemporains et aux meilleurs, aux plus habiles et aux mieux doués, vous trouverez qu'il écrit bien, qu'il écrit très bien, et vous vous assurerez qu'il l'emporte sur Chateaubriand pour la simplicité du discours et la probité du langage.

Le désastre de la langue, commencé dans la jeunesse de Mirabeau, grandit sous la Révolution, malgré ces géants de la tribune, Vergniaud, Saint-Just, Robespierre auprès desquels nos orateurs d'aujourd'hui semblent des enfants criards ; malgré Camille Desmoulins, rédacteur du dernier pamphlet bien écrit que devait lire la France ; le mal s'aggrava encore sous l'Empire et la Restauration ; il apparut effroyable dans les ouvrages de Thiers et de Guizot.

En ces temps déplorables, les écrivains en qui subsistaient encore le sens de l'exactitude et le goût de la forme, s'efforcèrent d'échapper au fléau ; chacun, à l'exemple de Paul-Louis, se composa un langage à sa convenance et selon ses moyens, et l'on rechercha de toutes parts la singularité. L'originalité, que l'on ne goûtait au XVIIᵉ siècle que dans le choix et l'ordre des idées, fut affectée dans les mots et les tournures de phrases, dans le vocabulaire et la syntaxe. Ce fut un mal si l'on considère que, le langage étant fait pour la communauté des oreilles, toute singularité en doit être bannie. Mais enfin, il fallait refaire la langue, et il se trouva, pour accomplir cette œuvre, de bons artisans ; on en connut même de prodigieux. Par malheur une trop curieuse originalité nuisit parfois à la clarté du discours ; trop d'apprêt et de soins en altéra le naturel et la simplicité. Et l'indifférence de Stendhal pour le style est devenue dès lors plus apparente.

Toutes les décadences sont tristes. Il faut plaindre le sort d'un Boëce ou d'un Paul Orose. Craignons cependant de déplorer trop vite la ruine des lettres françaises. Tacite n'écrivait pas dans le siècle d'Auguste et pourtant nous le lisons avec plus de plaisir et d'émotion que Tite-Live. Voilà une belle fiche de consolation pour nos historiens. J'en offre une autre assez riche à nos romanciers et conteurs : qu'ils pensent à Pétrone, à l'élégant Pétrone, qui florissait sous Néron et que M. Salomon Reinach fait naître, si je ne me trompe, à une époque beaucoup plus basse encore.

Sur les poètes, qui ont leur langage propre, et dont le déclin ne fut pas régulier et continu comme celui des prosateurs, je ne dirai rien. Beyle m'a détourné d'eux ; il n'entendait rien à la poésie. C'était un ennemi d'Apollon, un vrai Marsyas.

Sur la critique
de Sainte-Beuve

(1920)
par
Daniel Halévy

L'article de Daniel Halévy parut dans *La Minerve française*, le 1er février 1920. Proust y fera allusion dans sa préface à *Tendres Stocks* de Paul Morand, et dans son texte « A propos de Baudelaire ».

Sainte-Beuve a échoué dans la critique : les discussions du Cinquantenaire nous ont valu ce jugement nouveau. M. Fernand Vandérem l'a formulé d'abord dans la *Revue de Paris* du 15 octobre. Quant à M. Marcel Proust, il lui a suffi, pour en décider, de deux ou trois pages tracées, nous dit-il, à la hâte et sans livres. Je regrette qu'il prodigue ainsi l'autorité d'un goût supérieur.

J'ai relu les *Lundis,* et je continue d'y voir ce que j'y voyais autrefois, une infatigable raison et la justesse du goût. Sans doute il y a quelques flottements dans la détermination des rangs : mais les rangs sont-ils jamais tout à fait déterminés ? Sans doute il y a quelques aveuglements : de l'un d'eux, Stendhal est victime. Sainte-Beuve l'avait connu très autrefois. Il s'était amusé à écouter ses paradoxes. Il n'admettait pas que Stendhal fût autre chose qu'un amusant esprit, et il ne se lassait pas de répéter, avec une obstination comique, à Taine, à About, aux Goncourt, à cette génération qu'enchantait la *Chartreuse de Parme* : « Vous vous trompez, j'ai connu Stendhal, c'était un gai compagnon, rien plus, et ses romans sont détestables... » Trait d'humanité dont il faut sourire.

Ce que je vois (et ceci doit répondre aux observations de M. Vandérem), c'est que Sainte-Beuve mûri ne pratique plus la critique comme il l'avait pratiquée dans sa jeunesse. Il a connu, il a subi trop d'engouements. Les engouements ne le séduisent plus. L'historien de Port-Royal, le professeur de poésie latine au Collège de France, l'auteur du charmant *Virgile* (si peu lu) est un autre être que l'inquiet jeune homme qui, vingt ans avant, écrivait *Volupté*. Il redevient (sa vraie nature est là) un Français d'autrefois, disons de 1788 ; un ami, un émule d'André Chénier ; novateur, mais fidèle aux conseils d'un goût qu'il estime éternel. La tâche énorme des *Lundis,* il veut la conduire à sa guise, et non pas se laisser mener par la fantaisie des auteurs. Le passé, il le cultive. Le présent, il le surveille avec bienveillance, mais une bienveillance prudente. Dans une leçon faite à l'Ecole Normale en 1858, il avait cherché à distinguer, à définir, la tâche du critique et celle du professeur : « Le critique, avait-il dit, s'inquiète avant tout de chercher le nouveau et de découvrir le talent, le professeur de maintenir la tradition et de conserver le goût. » Sainte-Beuve, dans son oeuvre critique, distingue de moins en moins, il unit les deux tâches.

Taine, Renan, commencent à écrire. Sainte-Beuve les lit et les juge. Il voit dès l'abord quels défauts les menacent : Renan, un certain amollissement ; Taine, l'excès logique, une certaine tendance au paradoxe. « Il faut dépasser le but pour l'atteindre », a écrit Taine. Sainte-Beuve lui répond : « Pourquoi, comme innovation la plus rare, n'essaierait-on pas une fois de commencer, s'il se peut, par la justesse ? » C'est une critique proposée sur le ton de la conversation. Sainte-Beuve applaudit Renan et Taine, il leur fait fête sans retard. De vingt ans leur aîné, le voici leur ami.

Mais les différences existent. Goût, justesse, telles sont les qualités qu'il prise, et les jeunes gens autour de lui les dédaignent. Ce désaccord gêne son travail. Combattra-t-il les innovateurs ? écrira-t-il, comme J.-J. Weiss, en 1857, un manifeste contre la littérature brutale ? Non. Il est trop épicurien pour chercher les combats. Et il a trop l'intelligence des nouvelles recherches, il apprécie trop le talent, où il est, comme il est, pour ne pas s'intéresser à cela même qu'il aime peu ou pas. Flaubert publie

Madame Bovary. Voilà un livre, écrit Sainte-Beuve, qui oblige à choisir, à dire *oui* ou *non*. Le talent le persuade : il accueille l'œuvre discutée. Il sent au premier contact, et d'un trait liminaire il définit, la force du débutant. *Madame Bovary,* écrit-il, « est un livre dans lequel l'auteur ou mieux l'artiste a fait d'un bout à l'autre ce qu'il a voulu. »

Tout homme qui travaille, quel que soit l'emploi de son activité, sentira la portée de cet énergique éloge.

Quelques années après, Flaubert publie *Salammbô*. Sainte-Beuve n'aime pas cette oeuvre et il le dit. Son étude, déclare M. Vandérem sans s'expliquer davantage, est d'une *absurdité légendaire*. Je dirais plutôt qu'elle est d'une justesse exemplaire. Sainte-Beuve qualifie exactement le faux du genre, la puérilité de l'érudition, la recherche naïve et vicieuse de l'atroce. « Ne devenons pas des mangeurs de choses immondes, » écrit-il. Est-ce cet avertissement qu'on juge absurde ? La littérature française commençait alors d'être contaminée par l'immonde et Sainte-Beuve voit de loin ce mal dont nous ne sommes pas guéris. Pourtant son mécontentement ne l'égare pas. Il reconnaît en *Salammbô* une oeuvre d'art « d'un ordre élevé, dont il restera des fragments. » Peut-on mieux dire ?

Je crois qu'au fond des observations de M. Vandérem il y a cette arrière-pensée qu'un critique est une sorte de crieur gagé pour annoncer le dernier neuf. Sainte-Beuve était d'un autre avis.

Je ne dis assurément pas qu'on trouve dans les *Lundis* un jugement d'ensemble sur Flaubert, une définition de cette grandiose figure. Mais je dis qu'il serait absurde de l'attendre. Le style de Flaubert ne peut être vraiment compris que si l'on connaît les essais fougueux qui l'annoncent, *Novembre* ou la première *Education sentimentale*. La pensée de Flaubert ne peut être embrassée si on ne connaît les œuvres qui nous la donnent en son achèvement : la seconde *Education*, la *Tentation, Bouvard*. Or, Sainte-Beuve était mort quand Flaubert publia l'*Education sentimentale*. L'aurait-il comprise ? Je me hasarde à dire que non. Personne ne la comprit, avant que dix ou quinze ans n'eussent passé. Je ne pense pas que Sainte-Beuve eût fait exception, je ne pense pas qu'il eût pénétré l'énigme où Flaubert avait enfermé un demi-siècle d'expériences amères et de labeur technique. Ne demandons aux contemporains que le possible.

Voici maintenant un grief de M. Marcel Proust : « C'est uniquement comme d'amis personnels que Sainte-Beuve parle des Goncourt » En vérité ? Sainte-Beuve avait donc une manière étrange d'entendre la complaisance. Il a écrit deux articles sur les Goncourt (Taine n'en a pas davantage), et le second si dur, malgré sa forme courtoise, qu'Edmond de Goncourt le lui a fait payer par les diffamations innombrables de son *Journal*. Qu'il est vrai cet article ! Sainte-Beuve apprécie exactement les esprits curieux, sensibles, des deux frères, et il goûte leur curiosité, leur sensibilité. Mais il connaît aussi leurs caractéristiques fâcheuses, il dit ce qu'il faut dire à ces mauvais artisans de notre langue, à ces amateurs qui se croient cultivés parce qu'ils s'entourent de bibelots, et savants parce qu'ils savent la minutie du XVIIIe siècle. « L'irrévérence de leurs jugements », Sainte-Beuve le discerne et l'écrit, tient à « leur manque de *religion littéraire première*. » Je conseille à ceux qui aiment le style, je demande à M. Marcel Proust, qu'ils relisent cette page où Sainte-Beuve examine la théorie de « l'épithète rare » dont les Goncourt ont été les malencontreux inventeurs et parrains :

« ... MM. de Goncourt ont dit : "L'épithète *rare,* voilà la marque de l'écrivain." Ils ont raison, à la condition que l'épithète rare ne soit pas toujours le ton pris sur la palette. Il est des épithètes rares dè plus d'une espèce. On ne se figure pas l'effet heureux que produisent dans une description toute physique, au milieu des couleurs qui nous viennent du dehors, quelques-uns de ces reflets sentis qui partent du dedans.

L'épithète morale et métaphysique a souvent sa magie que des milliers d'objectifs chatoyants ne produiraient pas.

... Et puis l'épithète rare n'est pas tout. Si j'osais, si j'en avais le temps, si c'était le lieu, j'aimerais à faire une petite dissertation là-dessus, qui tiendrait quelque peu de l'Addison et du Quintilien, qui ne serait qu'à demi pédante, qui ne sentirait pas trop l'école. L'épithète, toujours l'épithète ! Pourquoi pas le nom aussi ? Pourquoi pas le verbe quelquefois ?

Ainsi, dans Virgile, dans la IXe églogue, quand les deux bergers chantent en marchant, l'un d'eux propose à l'autre de s'arrêter à mi-chemin en vue du tombeau de Bianor, ou bien, s'ils craignent que la pluie n'arrive au tomber de la nuit, de poursuivre leur route vers la ville en chantant toujours :

Aut, si nox pluviam ne colligat ante, veremur...

"Si nous craignons que la nuit ne *rassemble* la pluie..." Quel mot plus juste ! Qui n'a observé que la pluie, qui est comme tenue en suspension dans l'air tant que le soleil est sur l'horizon, se met souvent à tomber vers six heures du soir ! Virgile a résumé tout cela d'un seul mot et dans une image : Nox pluviam ne *(colligat)* ante...

Voilà le verbe *rare* qui marque le talent tout autant que ferait une épithète.

Et pourquoi pas le tour et l'harmonie ? Il ne saurait y avoir rien d'exclusif chez ceux qui n'ont pour peindre que des mots et des syllabes. Tout est bon au peintre écrivain pour arriver, non au *fac-simile* direct des choses (toujours impossible par un coin et toujours infidèle), mais à l'impression pleine et juste qu'il en veut laisser. »

Autre grief de M. Marcel Proust : Sainte-Beuve n'a pas été pour Baudelaire ce qu'il aurait dû être. Il est très vrai que Sainte-Beuve, lorsqu'il mentionne Baudelaire dans ses *Lundis,* s'exprime faiblement, et qu'il emploie des termes qui ne conviennent pas. Cela est dû peut-être aux égards qu'il avait à son public. Baudelaire était un objet de scandale, Sainte-Beuve, sénateur, chargé de la critique au journal officiel de l'Empire, ne voulait pas scandaliser. Il n'était pas lâche, mais il n'ignorait pas la prudence. Peut-être faut-il penser aussi que son oreille vieillie n'était pas suffisamment sensible à certaines qualités, à certaines innovations de style. Cela est très marqué, par exemple, dans les jugements qu'il porte sur Michelet, dont par ailleurs il indique en maître les limites. Mais revenons à Baudelaire. M. Marcel Proust connaît-il la lettre que Sainte-Beuve lui écrivit en 1857 ?

Qu'il la lise, il verra quel aîné Sainte-Beuve sut être.

S'il n'écrivit pas un article sur les *Fleurs du mal,* c'est qu'il ne voulut pas, c'est qu'il ne pouvait pas, lui, poète, touché par l'exquis et le beau, risquer de se confondre, par des critiques nécessaires, avec la meute ignorante qui diffamait sans l'entendre le grand mais triste livre. Il préféra donc une lettre intime, appréciative, compatissante et qui eût été bienfaisante si Baudelaire avait été capable de recevoir un bienfait. Il regrette la singularité mauvaise des objets auxquels Baudelaire s'attache, à sa manière de *perler* le détail, de *pétrarquiser* sur l'horrible! Il sait pourtant qu'il y a là tout autre chose qu'un jeu littéraire. « Vous avez dû beaucoup souffrir, mon cher enfant... », dit-il. Sainte-Beuve ne croyait pas que la diffamation du réel fût la digne fonction de l'art. Il le dit à Baudelaire, il le cite à lui-même :

« ... *Dans la brute assoupie un ange se réveille...,*

C'est cet ange que j'invoque en vous et qu'il faut cultiver... Si je me promenais avec vous au bord de la mer, le long d'une falaise, sans prétendre à faire le mentor, je tâcherais de vous donner un croc-en-jambe, mon cher ami, et de vous jeter brusquement à l'eau, pour que, vous

qui savez nager, vous alliez désormais sous le soleil et en plein courant. »

Je sais que les traits singuliers, disons même
les traits infâmes de cette œuvre ne sont plus
sentis aujourd'hui. Je sais que les *Fleurs du mal,*
vendues un franc, sont devenues un livre populaire. Voilà des faits, je les connais. Mais si je
veux un jugement, c'est encore à Sainte-Beuve
que je le demanderai, au vieux lecteur de Virgile
et d'Horace qui écrivait, dans un article sur la
littérature anglaise de Taine : « Critique, il ne
faut pas prendre si vite son parti de la perte de la
délicatesse ».

Et que M. Marcel Proust relise encore les
lettres que Sainte-Beuve écrivit à Verlaine en
1866, à Zola en 1868. Heureux les écrivains
d'aujourd'hui qui seraient ainsi conseillés !

Je proposerai à M. Marcel Proust ce thème
assurément digne de son merveilleux don pour le
pastiche : *Lettre qu'écrivit Sainte-Beuve à Marcel Proust après avoir lu* A L'OMBRE DES JEUNES
FILLES EN FLEURS.

Chronologie
des dernières années
de Marcel Proust

1918 Depuis le début de la guerre et la suspension de la parution de la *Recherche du temps perdu* chez Grasset, Proust a profondément remanié son roman. *Du côté de chez Swann* est prêt à reparaître chez Gallimard. En avril, Proust corrige les épreuves des *Jeunes filles en fleurs*. Il rédige la préface des *Propos de peintre* de son ami Jacques-Emile Blanche en avril et mai, il corrigera les épreuves en décembre et janvier suivants. Au printemps, il reprend avec Gallimard le vieux projet de réunir ses pastiches de 1908-1909, suivis d'un choix d'articles et de préfaces de 1900-1908. Il amplifie le pastiche de Saint-Simon au cours de l'été. Les dernières discussions de Grasset et Gallimard en vue de la reparution de *Swann* ont lieu en juillet. Le 30 novembre, achevé d'imprimer des *Jeunes filles*.

1919 Cinquantenaire de la mort de Sainte-Beuve. Proust doit quitter l'appartement du 102, boulevard Haussmann, où il habite depuis 1906, avant le 1er juin, sa tante ayant vendu l'immeuble. Il s'installe provisoirement au quatrième étage de l'hôtel de la grande actrice Réjane, rue Laurent-Pichat. Il souffre de crises d'asthme et de troubles de la parole. Montesquiou lui rend une dernière visite. Parution d'extraits des *Jeunes filles* et du *Côté de Guermantes* dans la *NRF* du 1er juin et du 1er juillet. A la fin de juin, trois volumes sortent en même temps en librairie : la réédition du *Côté de chez Swann, A l'ombre des jeunes filles en fleurs,* et *Pastiches et mélanges.* La consécration de l'œuvre de Proust suivra. Il s'installe le 1er octobre au 44, rue Hamelin. Le 10 décembre 1919, le prix Goncourt lui est attribué pour *A l'ombre des jeunes filles en fleurs,* par six voix contre quatre aux *Croix de bois* de Roland Dorgelès. Une partie de la critique s'élève contre ce choix.

1920 La *NRF* du 1er janvier publie « A propos du "style" de Flaubert », réponse à un article d'Albert Thibaudet, « Sur le style de Flaubert », paru dans la *NRF* en novembre 1919. La controverse a commencé avec un article de Louis de Robert, un ami de Proust, « Flaubert écrivait mal ». Paul Souday, le chroniqueur du *Temps,* a répliqué. Jacques Boulenger, un autre ami de Proust, prolongera le débat. Proust corrige les épreuves du *Côté de Guermantes* et répond à plusieurs enquêtes des journaux. Réjane meurt le 14 juin. Le 23 septembre, Proust est nommé chevalier de la Légion d'honneur. Le 30 septembre, il participe au jury Blumenthal qui décerne son prix à Jacques Rivière. *Le Côté de Guermantes I* paraît en octobre. Dans *La Revue de Paris* du 15 novembre, « Pour un ami : Remarques sur le style », future préface de Proust aux nouvelles que Paul Morand publiera en 1921 sous le titre de *Tendres stocks.* Jacques Rivière demande à Proust un article sur Sainte-Beuve.

1921 Centenaire de la naissance de Baudelaire. Parution d'extraits du *Côté de Guermantes* dans la *NRF* du 1er janvier et du 1er février. En mai, *Le Côté de Guermantes II* suivi de *Sodome et Gomorrhe I* sort en librairie. Gide rend visite à Proust le 13 mai. Proust visite l'exposition de la peinture hollandaise au Jeu de

Paume, avec Jean-Louis Vaudoyer : il a un malaise, qui inspirera la rédaction de la mort de Bergotte. La *NRF* du 1er juin publie l'article « A propos de Baudelaire », sous la forme d'une lettre à Jacques Rivière. Celui-ci voudrait un article pour le centenaire de Dostoïevski, qui prendrait place auprès de ceux sur Flaubert et Baudelaire. Proust souffre d'un empoisonnement à cause d'une erreur du pharmacien. Dans la *NRF* d'octobre et de décembre, extraits de *Sodome et Gomorrhe II*. En novembre, fort long extrait de *Sodome II* dans *Les Œuvres libres*, sous le titre de « Jalousie ».

1922 La nièce de Céleste Albaret dactylographie *Sodome et Gomorrhe III (La Prisonnière)*. Début mai, les 3 volumes de *Sodome et Gomorrhe II* sortent en librairie. Le 18 mai, Proust soupe au Ritz avec Stravinski, Diaghilev, Picasso, Joyce, invités de son ami Sydney Schiff. Projet d'article sur Flaubert, en réponse à une réponse de Thibaudet à l'article de 1920. La santé de Proust se détériore en septembre. Début octobre, il attrape une bronchite, puis, s'étant mal soigné, une pneumonie. Il meurt le 18 novembre. *La Prisonnière, Albertine disparue* et *Le Temps retrouvé* paraîtront en 1923, 1925 et 1927 ; *Jean Santeuil* et *Contre Sainte-Beuve* en 1952 et 1954.

Bibliographie

I
Textes proustiens
de l'après-guerre*

1. Jacques-Emile Blanche, *Propos de Peintre. De David à Degas*, Première série : Ingres, David, Manet, Degas, Renoir, Cézanne, Whistler, Fantin-Latour, Ricar, Conder, Beardsley, etc., préface par Marcel Proust, Paris, Emile-Paul Frères, 1919 (« Préface », *Contre Sainte-Beuve*, précédé de *Pastiches et mélanges* et suivi de *Essais et articles*, éd. Pierre Clarac et Yves Sandre, Paris, Gallimard, « Bibliothèque de la Pléiade », 1971, p. 570-586).

2. *Pastiches et mélanges*, Paris, Gallimard, 1919 (achevé d'imprimer du 25 mars 1919).

3. *Du côté de chez Swann*, Paris, Gallimard, 1919 (achevé d'imprimer du 14 juin 1919).

* A l'exception des extraits de la *Recherche* parus en revue.

227

4. *A l'ombre des jeunes filles en fleurs*, Paris, Gallimard, 1919 (achevé d'imprimer du 30 novembre 1918, paru à la fin juin 1919).

5. « A propos du "style" de Flaubert », *La Nouvelle Revue française*, 1er janvier 1920 ; repris dans Marcel Proust, *Chroniques*, Paris, Gallimard, 1927 (*CSB*, p. 586-600).

6. « Les Arts : Une tribune française au Louvre. M. Marcel Proust », *L'Opinion*, 28 février 1920 (*CSB*, p. 601).

7. « Un esprit et un génie innombrables : Léon Daudet », article écrit à l'occasion de la publication du cinquième volume de *Souvenirs* de Léon Daudet, *Au temps de Judas*, Paris, Nouvelle Librairie nationale, 1920. Première publication : *Contre Sainte-Beuve* suivi de *Nouveaux mélanges*, éd. Bernard de Fallois, Paris, Gallimard, 1954 (*CSB*, p. 601-604).

8. Maurice Montabré, « Une petite enquête : Si vous deviez exercer un métier manuel », *L'Intransigeant*, 3 août 1920 (*CSB*, p. 604-605).

9. « Les Lettres : Petite enquête des Treize », *L'Intransigeant*, 28 août 1920 (« Sur les cabinets de lecture », *CSB*, p. 605-606).

10. « Pour un ami : Remarques sur le style », *La Revue de Paris*, 15 novembre 1920 ; repris comme préface à *Tendres stocks* de Paul Morand, Paris, Gallimard, 1921 (« Préface », *CSB*, p. 606-616).

11. *Le Côté de Guermantes I*, Paris, Gallimard, 1920 (achevé d'imprimer du 17 août 1920, paru à la fin octobre).

12. Rita de Maugny, *Au royaume du bistouri*, 30 dessins, préface de Marcel Proust, Genève, Henn, 1920 (*CSB*, p. 566-568).

13. « Enquête sur le romantisme et le classicisme », *La Renaissance politique, littéraire, artistique*, 8 janvier 1921 (*CSB*, p. 617-618).

14. « A propos de Baudelaire », *La Nouvelle Revue française*, 1er juin 1921 ; repris dans *Chroniques* (*CSB*, p. 618-639).

15. *Le Côté de Guermantes II* suivi de *Sodome et Gomorrhe I*, Paris, Gallimard, 1921 (achevé d'imprimer du 30 avril 1921).

16. André Lang, « Voyages en zigzags dans la République des lettres : M. Marcel Proust », *Les Annales politiques et littéraires*, 26 février 1922 (« Réponse à une enquête des *Annales* », *CSB*, p. 640-641).

17. *Sodome et Gomorrhe II*, Paris, Gallimard, 1922 (achevé d'imprimer du 3 avril 1922).

18. « Les Goncourt devant leurs cadets : M. Marcel Proust », *Le Gaulois*, 27 mai 1922 (*CSB*, p. 641-643).

19. « Une enquête littéraire : Sommes-nous en présence d'un renouvellement du style ? Convient-il de dénoncer une crise de l'intelligence ? », *La Renaissance politique, littéraire, artistique*, 22 juillet 1922 (*CSB*, p. 645).

20. « Une petite question : Et si le monde allait finir... Que feriez-vous ? », *L'Intransigeant*, 14 août 1922 (*CSB*, p. 645-646).

II

Autour de Proust

1. Jacques-Emile Blanche, *Propos de peintre. Dates*, Deuxième série, précédé d'une réponse à la préface de M. Marcel Proust au *De David à Degas*, Paris, Emile-Paul, 1921.

2. *Id., Mes modèles. Souvenirs littéraires*, Paris, Stock, 1928, 1984.

3. Jacques Boulenger, « Flaubert écrivait-il purement ? », *L'Opinion*, 13 septembre 1919.

4. *Id.,* « Flaubert et le style », *La Revue de la semaine illustrée*, 19 et 26 août 1921 ; repris dans ... *Mais l'art est difficile !*, Deuxième série, Paris, Plon, 1921.

5. *Id.,* « Le dandysme de Baudelaire », *L'Opinion*, 9 avril 1921 (Proust y fait allusion dans l'article sur Baudelaire).

6. Anatole France, « Stendhal », *La Revue de Paris*, 1er septembre 1920 (Proust y fait allusion dans la préface à *Tendres stocks*).

7. Daniel Halévy, « La mémoire de Sainte-Beuve », *Journal des Débats*, 13 octobre 1919 (Proust y fait allusion dans l'article sur Flaubert).

8. *Id.*, « Sur la critique de Sainte-Beuve », *La Minerve française*, 1er février 1920 (Proust y fait allusion dans la préface à *Tendres stocks* et dans l'article sur Baudelaire).

9. Louis de Robert, « Flaubert écrivait mal », *La Rose rouge*, 14 août 1919.

10. *Id.*, « Flaubert savait-il écrire ? », *Le Temps*, 5 septembre 1919 (réponse à Paul Souday).

11. Paul Souday, « Flaubert savait-il écrire ? », *Le Temps*, 29 août et 5 septembre 1919.

12. *Id.*, « Questions de style », *La Revue de Paris*, 15 janvier 1921.

13. Albert Thibaudet, « Sur le style de Flaubert », *La Nouvelle Revue française*, 1er décembre 1919 ; repris sous le titre « Une querelle littéraire sur le style de Flaubert », dans *Réflexions sur la critique*, Paris, Gallimard, 1939 (l'article de Proust sur Flaubert y répond).

14. *Id.*, « Lettre à Marcel Proust », *La Nouvelle Revue française*, 1er mars 1920 ; repris sous le titre « Lettre à Marcel Proust sur le style de Flaubert », dans *Réflexions sur la critique*.

15. Fernand Vandérem, « Baudelaire et Sainte-Beuve », *Le Temps présent*, février 1914 et mars 1914.

16. *Id.*, « Les lettres et la vie », *La Revue de Paris*, 15 octobre 1919 (pour le cinquantenaire de la mort de Sainte-Beuve).

III

Sur Proust critique

1. Douglas W. Alden, « Proust and the Flaubert Controversy », *The Romanic Review*, octobre 1937.

2. René de Chantal, *Marcel Proust, critique littéraire*, préface de Georges Poulet, Montréal, Presses de l'Université de Montréal, 1967, 2 vol. (contient une importante bibliographie méthodique).

3. Antoine Compagnon, *La Troisième République des lettres de Flaubert à Proust*, Paris, Ed. du Seuil, 1983.

4. *Id.*, « Proust sur Racine », *Revue des sciences humaines*, n° 196, 1984.

5. *Id.*, « Ce frémissement d'un coeur à qui on fait mal », *Nouvelle revue de psychanalyse*, n° 33, printemps 1986.

6. *Id.*, « Le soleil rayonnant sur la mer ou l'épithète baudelairienne selon Proust », *Cahiers de littératures modernes*, à paraître.

7. Herbert De Ley, *Marcel Proust et le duc de Saint-Simon*, Urbana, University of Illinois Press, 1966.

8. René Galland, « Proust et Baudelaire », *Publications of The Modern Language Association*, n° 65, 1950.

9. Gérard Genette, « Flaubert par Proust », *L'Arc*, n° 79, 1980 ; repris dans *Palimpsestes*, Paris, Ed. du Seuil, 1982.

10. Juliette Hassine, *Essai sur Proust et Baudelaire*, Paris, Nizet, 1979.

11. François Kessedjian, « Proust et Racine », *Europe*, février-mars 1971.

12. Gustave Lanson, « Quelques mots sur l'explication de textes », *Bulletin de la Maison française de l'Université Columbia*, janvier-février 1919 ; repris dans *Méthodes de l'histoire littéraire, Etudes françaises*, 1er janvier 1925 (réédition : Genève, Slatkine, 1979).

13. Laurent Le Sage, *Marcel Proust and his Literary Friends,* Urbana, University of Illinois Press, 1958.

14. Georges Poulet, « Une critique d'identification », in *Les Chemins actuels de la critique,* Paris, 10/18, 1968 ; repris dans *La Conscience critique,* Paris, Corti, 1971.

15. Walter A. Strauss, *Proust and Literature. The Novelist as Critic,* Cambridge, Harvard University Press, 1957.

Table

PRÉFACE
  Entre le pastiche et le roman
  par Antoine Compagnon   7

PROUST CRITIQUE
  Sur l'art :
  Pour Jacques-Emile Blanche (1919)   31

  A propos
  du « style » de Flaubert (1920)   61

  Pour Paul Morand :
  Remarques sur le style (1920)   89

  A propos de Baudelaire (1921)   111

AUTOUR DE PROUST
  Une querelle littéraire sur le style
  de Flaubert (1919)
  par Albert Thibaudet   151

Lettre à Marcel Proust sur le style
de Flaubert (1920)
par Albert Thibaudet   169

Stendhal (1920) *par Anatole France*   199

Sur la critique de Sainte-Beuve (1920)
par Daniel Halévy   207

CHRONOLOGIE DES DERNIÈRES ANNÉES
DE MARCEL PROUST   219

BIBLIOGRAHIE
   I. Textes proustiens de l'après-guerre   227
  II. Autour de Proust   229
 III. Sur Proust critique   231

Le Regard Littéraire

Collection dirigée par André Versaille

La littérature, l'art et la musique sont pour certains une nécessité. A ceux-ci nous proposons, dans *Le Regard Littéraire*, des textes que nous aimons pour leur force, leur tempérament et leur capacité à restituer la saveur des choses de l'art — donc de la vie.

Le choix des textes ne s'inspire d'aucune tendance esthétique déterminée. A une unité que nous sentions artificielle et restrictive, nous avons préféré l'arbitraire de notre plaisir, nous offrant ainsi des occasions de vagabondages infinis et de rencontres inattendues.

Ecrits de tous les pays et de tous les temps, ces textes ont été choisis pour leur étonnante modernité et pour le désir qu'ils nous donnent de lire et de relire, de voir et de revoir, d'écouter et de réécouter les grandes œuvres.

Naturellement guidés par leur intuition, plutôt que par un raisonnement « scientifique », chacun de ces écrivains devient selon l'exigence de Flaubert, *« artiste en même temps que l'artiste »* dès lors, la critique se conçoit comme un regard générateur d'une œuvre nouvelle.

Ce n'est pas seulement d'intelligence qu'il s'agit, mais de capacité d'écoute en même temps que de complicité — dans l'admiration, mais aussi jusque dans la haine. Parmi les écrivains du *Regard Littéraire*, on trouvera donc côte à côte ou face à face, ceux qui aiment avec excès et ceux qui haïssent avec ferveur : car c'est bien de passion amoureuse dont il est question, et le même tempérament qui induit à l'aspiration violente vers une beauté supérieure et une certaine vérité, conduit en même temps à cette « *fraternité basée sur le mépris* ». Et c'est tant mieux : comme le dit Julien Gracq, « *la littérature, comme la démocratie ne respire que par la non unanimité dans le suffrage* ».

D'ailleurs, bien souvent derrière l'hostilité et l'injustice, ne se dissimule-t-il pas un amour en colère qui exacerbe la lucidité ? Et, à la condition d'atteindre un certain degré d'acuité, n'est-ce pas ce regard impitoyable, qui — autant, sinon mieux encore, peut-être, que l'œil amoureux —, peut percer et comprendre l'artiste ?

A.V.

OSCAR **WILDE**

Le déclin du mensonge
Préface de Dominique Fernandez

JULIEN **GRACQ**

Proust considéré comme terminus
suivi de

Stendhal, Balzac, Flaubert, Zola

JULES **BARBEY D'AUREVILLY**

Contre Diderot
Préface de Hubert Juin

LÉON **BLOY**

Sur J.-K. Huysmans
Préface de Raoul Vaneigem

MAURICE **BLANCHOT**

Sade et Restif de la Bretonne

CHARLES **BAUDELAIRE**

Pour Delacroix
*Préface de René Huyghe,
de l'Académie Française*

THOMAS **MANN**

Traversée avec Don Quichotte
Préface de Lionel Richard

GUY DE **MAUPASSANT**

Pour Gustave Flaubert
Préface de Maurice Nadeau

MARCEL PROUST

Sur Baudelaire, Flaubert et Morand
Préface d'Antoine Compagnon

JOHN RUSKIN

Sésame et les Lys
*Traduit de l'anglais par Marcel Proust
précédé de*

Sur la lecture
*de Marcel Proust
Préface d'Antoine Compagnon*

HENRY JAMES

Sur Maupassant
précédé de

L'art de la fiction
Préface d'Évelyne Labé

HENRI-FRÉDÉRIC AMIEL

Du Journal Intime
Préface de Roland Jaccard

JEAN PAULHAN

Paul Valéry
ou
La littérature considérée comme un faux
Préface de André Berne-Joffroy

JEAN PAULHAN

Le Marquis de Sade et sa complice
ou
Les revanches de la pudeur
Préface de Bernard Noël

LOUIS-FERDINAND CELINE

Le style contre les idées
Préface de Lucien Combelle

**Maurice BLANCHOT, Julien GRACQ
et J.-M.G. LE CLÉZIO**

Sur Lautréamont

Maurice BARRÈS

Greco
ou le secret de Tolède
Préface de Jean-Marie Domenach

Georges SIMENON

L'âge du roman
Préface de Jean-Baptiste Baronian

Witold GOMBROWICZ

Contre les poètes
*Préface de Manuel Carcassonne
et Christophe Guias*

Marcel PROUST, André GIDE

Autour de *La Recherche*
— Lettres —
Préface de Pierre Assouline

Roger VAILLAND

Le Surréalisme contre la Révolution
Préface d'Olivier Todd

Oscar WILDE

La critique créatrice
Présentation et traduction de Jacques de Langlade

Paul GAUGUIN

Noa-Noa — Séjour à Tahiti
Préface de Victor Segalen

Alexandre DUMAS

Voyage en Calabre
Préface de Claude Schopp

PROSPER MÉRIMÉE

Lettres d'Espagne
Présentation de Gérard Chaliand

GUSTAVE FLAUBERT

Voyage en Bretagne
Par les champs et par les grèves
Précédé de

Souvenirs
par Maxime Du Camp
Présentation de Maurice Nadeau

JEAN-BAPTISTE LABAT

Voyage en Italie
Préface de Paul Morand

ALEXANDRE ZINOVIEV

Mon Tchékhov

KENNETH WHITE

Le monde d'Antonin Artaud

PIERRE MERTENS

L'agent double
Sur Duras, Gracq, Kundera, etc...

ÉMILE ZOLA

Du roman
Sur Stendhal, Flaubert et les Goncourt
Préface de Henri Mitterand

ÉMILE ZOLA

Pour Manet
Préface de Jean-Pierre Leduc-Adine

ÉMILE ZOLA

Face aux romantiques
Préface de Henri Mitterand

ÉMILE ZOLA

L'encre et le sang
Littérature et politique
Préface de Henri Mitterand

BENJAMIN FONDANE

Rimbaud, le voyou
Préface de Michel Carassou

ÉMILE VERHAEREN

Sur James Ensor
Suivi de

Peintures
par James Ensor
Présentation de Luc de Heusch

ANTOINE BLONDIN

Devoirs de vacances

ALEXANDRE DUMAS

Sur Gérard de Nerval
Nouveaux Mémoires
Préface de Claude Schopp

JULES BARBEY D'AUREVILLY
CHARLES BAUDELAIRE

Sur Edgar Poe
Présentation de Marie-Christine Natta

JACQUES TOURNIER

A la recherche de Carson McCullers
Retour à Nayack

HIPPOLYTE TAINE

A Rome
Voyage en Italie I
Présentation d'Émile Zola

HIPPOLYTE TAINE

D'Assise à Florence
Voyage en Italie II

HIPPOLYTE TAINE

A Venise
Voyage en Italie III

PIERRE LOTI

Constantinople fin de siècle
Préface de Sophie Basch

GUSTAVE FLAUBERT

La Bêtise, l'art et la vie
— En écrivant Madame Bovary —
Édition établie par André Versaille

HENRI DE RÉGNIER

Esquisses vénitiennes
Présentation de Sophie Basch

EDMOND ET JULES DE GONCOURT

L'Italie d'hier
Présentation de Jean-Pierre Leduc-Adine

FRANCIS SCOTT FITZGERALD

De l'écriture
*Textes réunis et présentés par Larry W. Phillips,
traduits de l'américain par Jacques Tournier
Préface de Franz-Olivier Giesbert*

EUGÈNE FROMENTIN

Rubens et Rembrandt
— Les Maîtres d'autrefois —
Préface d'Albert Thibaudet

HONORÉ DE **BALZAC**

A Paris !
Préface de Roger Caillois

GEORGES **DARIEN**

La Belle France
Préface de Pascal Ory

*Sur Baudelaire,
Flaubert et Morand* de
Marcel Proust est le neuviè-
me titre de la collection *Le Regard Littéraire*. Composé en
Times, ce texte a été achevé
d'imprimer le six décembre mil neuf
cent quatre-vingt-treize sur les
presses de l'imprimerie Campin
à Tournai pour le compte des
Editions Complexe, sises
vingt-quatre rue de Bos-
nie à mille soixante,
Bruxelles

 n° 230